好きなことだけすれば子どもは伸びる

音楽教室ミューレ主宰
子どものための教育活動家
坪井佳織

みらいPUBLISHING

はじめに

はじめまして。

わたしは、浜松市で音楽教室ミューレを開いている坪井佳織です。「かおり先生」と呼ばれています。教室を始めてから今年でちょうど20年です。リトミックや歌を教えています。生徒は０歳から18歳まで、１００人くらいいます。

リトミックは、ピアノの即興演奏に合わせて体を動かす音楽教育方法です。リズム感や音感、表現力を養う効果がありますが、わたしが教室でいちばん実感していることは、「自分を知ることができる教育」ということです。その子らしさが自然に表れて、それをお友だちに認めてもらえます。子どもたちはリトミックを通して、「自分ってすてき。お友だちもすてき」という気持ちを育くんでいます。お互いをありのままに認め合う子どもたちの集団は、優しさにあふれています。

わたしの教室であるミューレは、生徒の人数より何より、「子どもが長く通うこと」がいちばんの特徴です。だから、幼児期から思春期まで、どんな子がどんな子育てでどう育つのか、ずっと見つめ続けてきました。

いろんな個性を持った子どもたちがいました。どの子もありのままのよさを生かして、社会で活躍する人材に育ってほしい。何より、子どもたち自身が幸せを感じながら生きてほしいと願って指導を続けてきました。ひとりとして同じ子どもはいないので、20年間、「この指導案で毎年同じレッスンをしておけば大丈夫！」ということは一度もありません。リトミックは、全国共通のカリキュラムがありません。先生自身が指導案を立てて、しかも、子どもの反応を見て即興的にどんどんレッスンや弾くピアノを変えます。だから、その子らしさが自然に表れるんじゃないかと思います。


この本は、わたしが実際に見てきたそんなたくさんの親子の実例を元に、自信をなくしてしまったお母さんたちに「大丈夫だよ」と伝えたくて書きました。

子どもはみんな、宝物を持って生まれています。0歳から2歳の親子クラスでは、子どもたちは人の目を気にすることなく、自分の思うように行動しますから、とてもはっきりと宝物が見えます。はっきりとはしていますが、大きさはとっても小さいので、よぉく観察していないと見逃してしまうかもしれません。

教室の床の感触が好きで、来ると必ずごろ〜んと寝転がる子。窓から見える自動車をじーっと見つめている子。教材のスカーフを出すと真っ先に飛んできて、いつも黄色いスカーフを手に取る子。コンセントが大好きな子。ピアノの中をのぞくのが好きな子。ごあいさつの歌が大好きで、「もう一回やる！」と泣く子。

「えっ？　リトミックは音楽教育なのだから、リズム感がいいとか、声のピッチが正確とか、そういう才能が見つかるんじゃないの？」と思われるかもしれません。もちろん、そういう子も中にはいるでしょう。けれど、その才能を伸ばすとしても、子どもが幸せを実感し、ゆるぎない自信を育てるには、「自分が自分であるだけで認められる」という土台が必要だと思うんです。だからわたしは、まず、才能を見つける前に、ほんの小さな宝物を見つけて、保護者様と「この子はそうよね」と共有することから始めます。きっとそこから何もかもが始まると信じているからです。

子どもたちとも「この子はこういう子だよね」という共通認識をたくさん増やします。わたしが「だから素晴らしいんだよね」と添えると、「いや、違うよ」

と言う子はいません。お友だちの苦手な部分は、最初からわかっていることなのだから、できる子がフォローすれば済むことです。何か問題が起きたら、悪口を言ったり意地悪をしたりするのではなく、みんなで知恵を絞って解決します。子どもたちといっしょに歩んできた20年間、子ども同士の嫌なトラブルやもめごとは一度も起きたことがありません。平和で温かい子どもの世界を現実世界に作ることは可能なんです。

0歳から2歳の子はどの子も宝物を持っているのですが、それを伸ばして社会に生かせるまでになる子は多くありません。それはなぜだと思いますか。宝物が消えてしまうからでしょうか。違います。宝物はずっとあります。でも、親がそのことを忘れてしまうんです。「窓の外の自動車に夢中だった子」よりも、園でちゃんと過ごす子、学校の宿題をやる子、勉強をがんばる子の方が価値があると思ってしまうからです。

わたしの役割は、「先生、うちの子、忘れ物が多いし、ウソをついてごまかすし、いつもだらだらテレビばかり見て、何をほめたらいいのかわからなくなりました」とご相談を受けたときに、「この子、自動車が好きだったよね。その姿をうしろから見守るだけでよかったよね。そのままで大丈夫」と、いつまでも思い出させてあげることです。わたしも親として子どもを育てる中で、「うちの子、どうしてこうなんだろう」と悩むことがありました。今思い出すと、子どもは変わっていないのに、わたしの見る目が変わってしまったことが原因でした。自分の反省も踏まえ、保護者様には「思い出そうよ、この子がどんな子だったか」ということを伝え続けています。

15年も教室に通い続けてくれた子が卒業するとき、わたしはこんなメッセージを送ります。「あなたのこれからの人生が、ミューレのことを思い出すひまもないくらい、楽しく幸せであることを願っています。でも、もし、辛いことが起きて、誰も味方がいないと思ったら先生のことを思い出してほしい」って。親の次に、長い時間、子どもの人生を見つめ続けたわたしの最後の役割ですが、不要であることをいちばんに願っています。

わたしたちはずっと、「こうすれば100点が取れる」と教わった通りにまじめに言うことを聞いて育ちました。ところがお母さんになると、だれも答えを教えてくれません。だから、自分の育て方が間違っているんじゃないかと、毎日不安に怯えて自信をなくしてしまったお母さんがたくさんいます。これまで20年間、大勢の子どもたちの特徴が大きくなってどうなるか見つめてきて、やっぱりわたしは「ありのままを認めて、好きなことだけ応援すれば子どもは伸びる」と信じています。この本は、「お母さん、わたし／ぼくのそのままを見て」という子どもたちからのメッセージの代弁のつもりで、たくさんの子どもたちの顔を思い出しながら書きました。

子育ての答えを知っているのはだれでしょうか。

それは、みなさんのお子さんです。子どもが何もかも教えてくれます！　みなさんのお子さんが18歳になったとき、笑顔で「自分のことが大好き！」と言い切れるように、子どもを見守り、応援する方法をいっしょに考えましょう。

音楽教室ミューレ代表　子どものための教育活動家　坪井佳織

目　次

第2章

幸せなはずなのに モヤモヤしているお母さんたち

第3章

お母さんがだめなんじゃない

第4章

6つの生きる力

第5章

好きなことだけすればいい

第6章

生きる力とは死なないこと

※本書に使用した写真は、すべて「音楽教室ミューレ」のものですが、写真と本文のエピソードとは関係ありません。

第1章

ミューレの子どもたち

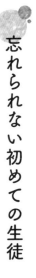

忘れられない初めての生徒

20年前、出産を機に会社を辞めたわたしは、家でもできる仕事として、音楽教室を開くことにしました。「リトミックという子ども向けのレッスンがあるらしいからいっしょに勉強しよう」という友人の誘いを受けて、月に一度の講座に通いました。試験はとっても簡単で、1年で資格を取りました。分厚い指導書があって、「何歳の何回目のレッスンでは、これをやりましょう」と細かく書いてありました。この通りにレッスンをやればいいのか。楽勝！　簡単！　と、さっそく生徒を募集してみました。当時、リトミック教室が周りになく、「リトミック」という言葉がはやり始めたころでもあったので、初年度から20名以上の生徒が集まりました。でも大丈夫。わたしには詳しい指導書があるのですから。その通りにやればいいのです。

最初の生徒で忘れられない子がいます。名前はふみくんといいます。当時のわたしの長男と同じ年で、幼稚園の年少さんになる3歳の4月に入会してくれました。お母さんはおとなしくて、少し心配性の方でした。

レッスンが始まるまでの間、積み木で遊んでいるのを見ると、万里の長城のような長い塀のようなものを作っていました。色合いも大きなうねりも、とてもすてきでした。その積み木は長男のものでしたが、長男がそんな風に積んでいるところを見たことがなかったので、「同じおもちゃでも、子どもによって全然違う遊び方をするんだな。長男が幾何学的なのに対して、ふみくんはとても独創的で芸術的だな」と感心しました。積み木だけではなく、遊びでピアノをぽろんぽろんと弾いたときも、とってもすてきなサウンドを奏でる子でした。わたしはふみくんの作る積み木も、弾くピアノも大好きでした。

レッスンが始まりました。いぬ、うさぎ、らいおん、などとひらがなで書かれた絵カードを、

先生と同じように並べ、「い、ぬ」と言いながら手を打ちます。先生と同じ順番に並べなければ、「い、ぬ、う、さ、ぎ」とお手本と同じように言うことができません。まず、ここでつまずきました。

ふみくんはわたしと同じには並べたくないのです。「いぬのとなりはらいおんにしたい」と言います。それに、自分の前に横一列に並べなくては成立しないのに、動物園のようにあちこちに動物を置きたいのです。他にも、ボールをつく活動では、あちこちにコロコロと転がって、上手に受け取ることができません。

わたしも子育ての初心者で、3歳の子がボールをついて取ることが当たり前にできるのか、それとも難しすぎるのか、わかりませんでした。指導書では「5分で終える」という時間配分になっています。わたしはふみくんのために、まず、絵カードを並べる練習から始めることにしました。ボールは、転がして受け止めることから始めました。そうやって順を追って教えていけば、いつかできるようになると考えたのです。

ですが、ついにふみくんには、わたしと同じように絵カードを並べられる日はきませんでした。なぜなら、ふみくんは「同じように並べたくなかった」からです。やりたくない子にどうやってやらせるのか、指導書には書いてありません。どうしたら並べられるんだろう。たくさん悩んで、いろいろ試しました。

そのうち、お母さんの顔が暗くなり、「なぜ先生と同じにできないの！」と叱っている現場を見てしまうようになりました。叱られたふみくんは、お母さんが大好きなので、とても悲しそうな顔をしていました。その親子を見て、わたしは、自分が何のためにリトミックを教えているのかわからなくなりました。わたしのやっていることは、親子を苦しめています。この子の素質はとても芸術的なのに、それを伸ばすどころか芽を摘もうとしています。

わたしは慌ててリトミックのことをより詳しく調べました。すると、リトミックはスイスのジュネーヴが発祥の地で、日本ではかなり独自のシステムがいくつか展開されているということがわかりました。本来のリトミックは、先生が自分で指導案を立てて、ピアノは即興で演奏します。そのハードルが高すぎるために、もっと簡単に先生になれる制度が日本で整えられたのです。創始者のダルクローズ先生は、子どもの発達や持って生まれた特性、気質をとても大切にされた方で、世界中の指導者が自分の国の文化や生徒の年齢、発達、経験値などに合わせて指導案を作る必要があると考えました。カリキュラムを残そうと試みたこともあったのですが、自分が試行錯誤した道程をたどることが、指導者として成長させると考え、何も残しませんでした。それを知って、慌てて勉強をし直し、正しく理解したリトミックを指導するために、国際免許を取得しました。20年経った今も研修を続けています。

自分の指導歴にあぐらをかくことなく、子どもをよく観察しながら、本来持っている宝物をつぶさないように、教え込まないように、「みんなと同じ」をやらせないように、いつも気をつけています。

これがミューレで個性的な子どもたちが育つようになった経緯です。ふみくんが最初に入ってくれていなかったら、今ごろわたしは「先生の言う通りにしなさい！」とカードを並べさせ、「なぜできないの？　ボールをちゃんと見て！」と叱る先生になっていたかもしれません。今のミューレがあるのは、ふみくんのおかげです。

音楽教室ミューレで育った子どもたちのごく数人をご紹介します。

「おしり」のボタン

ある日のこと。5歳のゆうたくんがトイレに行ったかと思うと、頭からずぶ濡れになって教室に戻ってきました。驚いて「どうしたの⁉」と聞くと、きょとんとしたまじめな顔で、「あのね、おしりって書いてあったの」と言うのです。

あぁ、なるほど。すぐにピンときました。あれです、温水洗浄便座。急いでトイレに行くと、天井から床まで水浸し。どうやら、おしっこをしたあと、立ったまま「おしり」というボタンを押してみたようで、頭から水をかぶってしまったのです。

わたしはその日まで、トイレに「おしり」というボタンがあることにまったく疑問を持っていませんでした。そうよね、「おしり」と書いてあったら何が起こるのか、押してみたくなるよね。大人になって見えなくなっているものが子どもにはちゃんと見えているんだなぁと、とても感心しました。

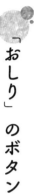

当時、ゆうたくんは教室に来ると、まず待合室のブロックで遊んでいました。「レッスンが始まるよ」と声をかけても、自分が納得する怪獣ができるまでは入って来ることはありません。「じゃあ、できたら来てね」と声をかけて好きにさせてみました。すると、15分か20分くらい経ったところで「お待たせしました〜」とちゃんと入って来ました。「今日はレッスンに来た」ということはわかっているんです。それ以来、「お待たせしました〜」がゆうたくん登場のテーマになりました。

ゆうたくんのお母さんは、生まれてからずっとこの調子で愉快な子が、幼稚園に入ったらいったいどんな楽しいエピソードを持って帰ってくれるのか、とても楽しみにしていたそうです。ところが、入園してまもなく、園長先生に呼ばれ、「みんなと同じことができない」という指摘をたくさん受け、あんなに楽しかった子育てが否定されたような気持ちになったと聞きました。

ゆうたくんは、「おしり」のボタンを「押したらどうなるんだろう」と考えられる子です。「怪獣ができたらレッスンに参加しよう」と自分で決めて貫く子です。「みんなと同じ」になっちゃったら、ゆうたくんではなくなります。わたしは、なんとかこの愉快さを伸ばしたいと強く思いました。そして、生まれてたったの3年でダメ出しを受けるなんて、子育てをとりまく世の中はなかなかに厳しいと思いました。

ゆうたくんは今年、15歳になりました。いつから「お待たせしました〜」と言うこともなく最初からレッスンに参加するようになったのか、もう覚えていません。だから、そんな一時的なことは気にしなくていいんです。教室の誰もが認める美声の持ち主で、何度もソロで歌って活躍しています。小6のころにはミューレの仲間といっしょに東京ディズニーランドで歌いました。脱力が上手なので、ジャンベやボンゴ（太鼓の一種）を素晴らしいグループ感で叩くことができます。学校では吹奏楽部に入りました。ある年の発表会では、シナリオを書いて、演技もしました。あんまり上手で、こんな才能もあったのかと、わたしも驚きました。夢は声を使ったお仕事に就くことだそうです。

かおり先生、こわい！

3歳のたくとくんは人見知りが激しく、とても恥ずかしがりやさんでした。親子リトミックのクラスに来てくれていましたが、お母さんは最初から「幼稚園に入る前に少し集団に慣れさせたいので来ました。入園したら辞めます」とおっしゃっていました。

この3月でお別れね、というその日まで、たくとくんがお母さんのおひざから出ることはほとんどありませんでした。つまり、たくとくん自身が楽しんでいる様子を見たことは一度もなかったのです。「今月でお別れですね」と言うと、お母さんが「先生、そのつもりだったんですけど、もう少し続けます」とおっしゃいました。あれ？　何もやってなさそうなのに？　もちろん、大歓迎ですが。

それから2年、たくとくんが5歳になったとき、広いホールで発表会を行いました。他の子たちが子どもだけで出演する中、たくとくんはクラスでたったひとり、お母さんと手をつないで出ました。「なぜあなただけ出られないの!」と叱ることもなく、勇気を持っていっしょにステージに上がってくれたお母さんが、何より立派でした。

声もとても小さかったので、クラスでひとりずつ何か言う場面で、たくとくんの声は聞き取りにくいのです。そんなときには、「あなたたちは、たくとくんの声が小さいということは最初から知っているよね。だとしたら、聞く方が静かにして耳を澄ませばいいよね」と教えました。たくとくんが発言するときは教室が静まり返るようになりました。

わたしの記憶では、一度だけ、とても厳しく叱ったことがあります。何か困っている場面で、もじもじと言い出せずに人知れず困り続けていたときです。「困っているときだけは大きな声で『助けて』と言えるようになりなさい」と言いました。たくとくんが怯えて泣いたので、「泣いたままでいいから、助けては言いなさい」と厳しく言いました。おとなしくても声が小さくてもいいのです。けれど「助けて」は言えるようにしたかったからです。あとから聞いたところによると、たくとくん本人はこのことはすっかり忘れ、「かおり先生は恐ろしい」という記憶だけが残ったらしいです(笑)。

たくとくんは、おとなしいまま、芯のしっかりした子に成長しました。ものづくりが好きで、工業高校に進学し、希望の会社に入って自動車のクラッチを作っています。ミューレでは、中学生のころから音響用のミキサーに興味を持ち、発表会では、出演しながら配線からＰＡ（音響係）もこなしました。高校では機械研究部の部長になり、技術の全国大会に出場しました。18歳でミューレを卒業するときには、クラウドファンディングで資金を集め、自ら実行委員長となって企画した公演で締めくくりました。

お母さんと手をつないで発表会に出た幼児は、数百人のお客様を前に、たったひとりでステージに立ち、3分ものスピーチをする青年に育ちました。そのスピーチによると、小さいころは何度も辞めたいと思っていたそうです。理由は「かおり先生が怖いから」。でも、高校で部長になったとき、ミューレで学んだことがまさに生きる力だったとわかったと締めくくり、わたしを泣かせたのでした。

ある日突然教室に入れなくなった

4歳のまりかちゃんは、教室までは来るのだけど、どうしてもお部屋の中には入れなくて、待合室で「いやだ、いやだ」と泣いていました。実は2歳や3歳のころはとても楽しそうに参加していたのです。お母さんもわたしも、急にどうしたのか、ぜんぜんわかりません。心から嫌いなら無理をすることはないのですが、わたしは、まりかちゃんはミューレもリトミックもとても好きだろうと思っていたので、お母さんにこう伝えました。

「もしお母さんが続けてほしいと思っているなら、辛抱強く連れて来てください。今辞めてしまうと、なぜ泣いているのかわからないままになってしまう。お母さんが通わせようと決意しているなら、とにかく連れてきて、待合室で絵本を読んだり、窓からお友だちがレッスンを受けているのを眺めたりしてもらえませんか」

お母さんが「行くだけ行こう。そして、お母さんと教室の外から見ていよう」と伝えたとたん、泣くことはなくなりました。

窓から見ていた期間は、1年近くあったのではないでしょうか。ある日、「先生! わたしね、お外から見ているでしょう。今日ね、わたしがいた土のところにね、卵の殻があったの。前につばめが教室の外に巣を作っていたでしょう。きっと、あのつばめの卵が落ちたんだと思う」と言いに来ました。「へぇ、そうかもしれんね。よく見つけたね」と答えましたが、実はわたしはその卵の殻の正体を知っていました。

まりかちゃん、ごめん。その卵の殻ね、先生んちにある生ごみ処理機でできた肥料に混じってたんだと思う。昨日、その辺に撒いたから。先生が食べた卵の殻なの、ごめん!

その日をきっかけに、「あたし、今日からやるから」といった様子で、ふぅっと教室に入り、あの期間は何だったのかというくらい、また楽しく参加するようになりました。

同じころ、別なクラスには、つぐみちゃんという、なかなかに強情な女の子がいました。

この子も3歳まではとっても楽しく参加していたのですが、4歳になったころに急に「やらない」と言い出し、1年間くらいずっと教室の隅に座り、レッスンを見ていました。

ほんのときどき、「やる？」と声をかけますが、頑なに「やらない」と断られます。ママと離れるのを泣いて嫌がるのとは少し違って、気の強そうな顔でキッと口を結び、「やらない」という決意をわたしに見せてじーっと教室の隅にいるのです。

何がきっかけだったか、また急にやり始めたころ、別なお友だちが「ママと離れるのが寂しい」と言って泣いた日がありました。

するとつぐみちゃんが「先生、あのね、つぐみもずっとやらないときがあったでしょう。あのとき、いっぱい、気持ちがあったのね。でも言えなかったの。〇〇ちゃんも、いっぱい、気持ちがあるんだと思うよ」と教えてくれました。

「いっぱい気持ちがある」って、どんな形容詞よりも子どもの心を表していて、すてきな言葉です。そうか、そうだよね、いっぱい気持ちがあるんだよね、と思いました。それ以上にぴったりな表現がないほど、理解できました。

まりかちゃんとつぐみちゃんは、ともに中学生になりました。歌から身体表現まで、どんなジャンルにも夢中で取り組んでいます。小6のときには、とあるコンテストで優勝し、東京国際フォーラムでプロモーションビデオを撮影してもらいました。あのとき辞めていたら、こんな活躍もありませんでした。「ミューレって何歳までいられる？　大学生になっても来ていい？」と言っています。ふたりとも、教室に入って来なかった時期については、まったく覚えていないんですって！

天才少年とラムネ

ミューレには、リトミックの他にクワイヤというクラスがあります。小1から中学生まで、異年齢の子が交流しながら歌う、ポップス合唱のクラスです。

大きな公演に向けて練習していたある日、数名の女子が、ゆずるくんがまじめに歌わない、とわたしに訴えに来ました。何度か「わざと変な歌詞で歌ってる」とか「巻き舌してる」とか、「注意すると嫌なことを言ってくる」とか言いに来ます。ゆずるくんは歌のうまい子で、この子がちゃんと歌うかどうかが仕上がりにかなり響くので、さらに問題は複雑です。わたしは「ふむふむ、それで?」と聞いていました。よい解決策が思い浮かばなかったので、とりあえず言い分は聞いて、観察しようと思っていたのです。

そうしたら、何度目かの訴えのとき、

「ゆずるくんはそもそも、公演に出たいと思っているんだろうか、成功させたいと思っているんだろうか」

「学校で嫌なことがあって、それで闇落ちしてるんだろうか」

「いっしょに成功させるために、どうしたら力になれるんだろうか」

と、話の展開が変わってきました。最後には「ゆずるくんのお母さんと話がしたい。学校やおうちの様子を聞きたい」という結論が出ました。

「え、いいけど、その日、先生は出張でいないよ」

「いいです、わたしたちで話をします」

「どうしよう、またとんでもないことを言い出すなぁ」と思いました。こんなこと、普通はないでしょう。この子たちは小6と中1です。まぁ、でも、好きにやらせてみることにしました。なぜか、すごく堂々としていて、ぜんぜん不安がなさそうだったからです。この子たちの自信を信じることにしました。

わたしは出張先で、話の様子を電話で聞いていました。そうしたら、お母さんにおうちや学校の様子を聞き、ミューレでの様子を伝え、「ゆずるくんといっしょに出演して、公演を成功させたいんです。子どもですけど、わたしたちがやれることをやります」と締めくくっていました。

実は、この子たちは、以前に先輩から同じことをやってもらったことがあります。親を呼び、「わたしたちが教えるから」と先輩に頭を下げてもらったことが。ミューレは、優しい子の集まりだからもめごとが起こらないのではなくて、解決方法が世の中とぜんぜん違うだけなんだなと思いました。まずは「なかったことにしない」「問題は表に出す」、その姿勢は徹底して教えています。

さて、この話をした次のレッスンで、早速、同じことが起きました（笑）。もうさすがにわたしの出番かなと思って、こんな風に話しました。

「ゆずるくん、この子たちがどんな態度に困ってるのか、自分がやったことを覚えてる？」

「え、記憶にない」

「そうか、無意識か。

先生ね、昨日、現代音楽を作曲する10歳の天才少年のドキュメンタリーを見たんだよ。その子は走り回ってるうちにオーケストラの曲が頭に浮かんでくるんだって。それで、オケで演奏するリハーサルのときにさ、ちょこちょことおばあちゃんのところに行って、『もう無理』とかぐずぐず言うわけ。

天才はさ、集中しすぎて、人より早く疲れちゃうんじゃないかな」

「えっ、そういえば俺も同じ10歳だ！」

「そうなんだ！　ゆずるくんも天才だから、疲れやすいんじゃないの？

君には特別に天才休憩を取ってもいいことにするからさ、周りの子が〝そろそろ天才休憩取ってきて〟って言ったら、外を一周して、飲み物飲んで、甘いもの食べて戻ってきてよ。甘いものは好き？」

「うん、ラムネとか」

それを聞いていた子たちが「ラムネ！　ラムネはブドウ糖だから、いちばんいいよ！じゃあ、これからわたしたちが天才休憩取っておいでって言ったらラムネを食べて戻って来てね」と言いました。天才少年ゆずるくんは、ニヤリと口角を上げながら「わかった」と言っていました。

その次のレッスン中、お父さんとお母さんに挟まれたみたいな感じで、天才少年が連れて来られました。

「先生、天才休憩が必要そうです」

天才少年は悪態をつくこともなく、ご満悦でソファに座ってラムネをポリポリ食べていました。

「ゆずるくんがちゃんとやる」ってことをゴールに設定してしまうと、みんなが辛くなります。ギスギスします。訴えに来た子どもたちは、「ゆずるくんを入れた上で、どうしたらいっしょに成功させられるか」を考えたのです。ラムネが解決策になっているのかどうかはわかりません。でも、子どもたちが知恵を絞って、何が困るのか考えた結果、自然な流れでこうなりました。このあとは、また流れを観察するしかありません。

お母さんと話をしようと決めた日、子どもたちは円陣を組んで「がんばるぞ、おぉ！」と掛け声をかけていました。その中には、つぐみちゃんもいました。ゆずるくんがいつか、「自分を想って円陣を組んだ友だちがいた」ってことを、大切に思える日が来るといいなと思います。

ミューレにはいろんな子がいます。子どもの力を信じて見守っていると、持って生まれた特性を生かして、その子らしく成長していきます。

ただ、子育てが難しいのは、これらがすべて結果論だからです。

第2章

幸せなはずなのに
モヤモヤしているお母さんたち

うちの子、大丈夫でしょうか

リトミックは6名から12名くらいのグループでレッスンをします。おとなしい子も元気な子もいます。いろんな子がいるからグループに活気が生まれ、お互いに影響し合って、よい効果が期待できます。この相互作用が子どもを成長させるので、リトミックはグループ活動が基本になっています。何より、どの子も可愛いです。

2歳児のクラスに、ひろくんという、とてもやんちゃな男の子がいました。ひろくんは、いつも走っていて、ちっとも音楽を聴いていません。少なくとも、「聴いていなさそう」にしか見えません。わたしが「おててを上げようね」と言っても、「ぴょんぴょんジャンプしようね」と言っても、その通りにやったためしがありませんでした。

ひろくんのお母さんはきっと悩んでいるだろうなと思って、いつも「大丈夫よ、聴いてないように見えて、2歳さんのお耳にはちゃんと音楽が入っているから。何よりお顔を見て。とっても楽しそうじゃない？」と伝えていました。お母さんは「先生がそう言うから、信じて、わたしが音楽に癒されに来ています」と笑っていました。「うんうん、それで充分よ」と答えました。

同じクラスに、みこちゃんという女の子がいました。とてもおとなしく、じーっとお母さんのおひざに座っていました。ひろくんは元気すぎてわたしの言う通りにはしない子なんだけど、みこちゃんはおとなしすぎて、これまたわたしの言うようにやったことがありませんでした。

ただ、お顔はとてもキリッと前を向いていて、わたしの言うこと、動き、歌、全部をひとつ残らず覚えるぞ！　という感じでじーっと見ているのです。口元はいつも柔らかく、お母さんにくっついていることでとてもリラックスしているように見えました。

問題はお母さんの顔です！

いつも眉がハの字になっていて、不満そう。けれど、レッスンの前後に話しかけられたことがなかったので、「おかしいな、眉はハの字だけど、悩みはないってことかな」と思っていました。

あるとき、みこちゃんがお母さんの手を引いてボールを取りに来たときに「みこちゃんはとてもおとなしい子なのね」と声をかけてみました。そうしたら、お母さんの目にみるみるうちに涙が浮かび、「そうなんです！　大丈夫でしょうか？」と声を震わせて話してくれました。

「何も話してくれないから、てっきりわたしには言いたくないのかなと思っていたよ」と言うと、いつ話したらいいかわからなかった、と言います。「お母さんは小さいころ、どういう子だったの？」と聞くと、「わたしもこういう感じでした」と言うので、「じゃあ何の不思議もないよね」と答えました。

元気でも不安、おとなしくても不安

「遺伝だよね」、この一言で片づく子どもの特徴を、なぜかお母さんたちは悩んでいます。

ちなみに、みこちゃんはおうちに帰るとぬいぐるみを並べて、わたしのやったことを全部上手に再現していたそうです。みこちゃんは何もやっていないのではなくて、「リトミックの先生をやるための研修」を受けていたんですね。そりゃあ、わたしの言う通りになんかしませんよね、生徒じゃないんだもの。どうりで真剣なまなざしを向けられていると思いました！

元気な子も、おとなしい子も、どちらのお母さんも「落ち着きがない」または「引っ込み思案」と悩んでいます。そして、「うちの子がうるさくて迷惑をかけているのでは」と思っている元気な子に対して、おとなしい子のお母さんは「活発でいいなぁ」って思っています。引っ込み思案な子のことは元気な子のお母さんが「おりこうでいいなぁ」と思っています。よその子を悪く言う人はめったにいません。

わたしが「お母さんはどういう子だった？　お父さんは？」と聞くと、たいがい「わたしもこうでした」「お父さんの小さいころにそっくりだと義母が言います」と真剣な顔で答えてくれます。「え？　何かの冗談？」ってこちらが不安になるほど、「じゃあ当たり前よね」ということでまじめに悩んでるんです。

では、明るくてお行儀がよくて、賢くて、愛嬌のある子のお母さんは悩まないのでしょうか。

いいえ、子どもがしっかりして特に言うこともない子でも、それはそれで「こんな自分が母親でよいのか」って悩むみたいですよ。ひょっとすると、どんな子育ての悩みも「こんな自分が母親でよいのか」に集約されるのかもしれません。

おとなしい子はおとなしいまま、元気な子は元気なまま生きていけばいいんです。「こんな自分」は「こんな自分」のまま、お母さんでいればいいんです。なぜかみんな、「今の自分じゃないナニカ」になろうとし、「今の我が子じゃないダレカ」にしようとします。

「悩みは何？」と聞かれると言葉にならない

音楽教室ミューレでは、年に一度、保護者会を開きます。出席率は8割を超えていて、中にはご両親そろって参加してくださる方もいます。

保護者会では、毎回ウケる鉄板ネタがあります。それは、

「みなさん、ご存知ないかと思いますが、ミューレは音楽教室です」

というものです。みんな爆笑します。教室に通う保護者の方は、いつの間にか音楽は二の次になっていて、「何でもいいから通わせたい」という方がほとんどなんです。

とってもありがたいことではあるのですが、「みなさん……、わたし、けっこうちゃんとリトミックを勉強して教えてるんですよ」と、トホホな顔でお伝えしても、みんな笑って「あっそうですか。ところで先生、うちの子ね……」と子育ての悩み相談が始まります。

話しているうちにいつの間にか大爆笑していて、朝を迎えてしまうこともありました。

こんな風に「先生、聞いて」とわたしに話しかけてくれるお母さんに隠れて、人知れず、

もっともっと深刻に悩んでいる方がいます。

それは、「何かには悩んでいる。子どものことで不安がいっぱい。でも、悩みは何？と聞かれると言葉にならない」という方です。夫婦関係、健康、住まいやお金には大きな問題はなく、幸せなはずなのに、ずっとモヤモヤが晴れないそうです。

「自分が何に悩んでいるのか、子どもの何が不安なのか、自分で自分のことがわからない。感情がないのかもしれない。母親なのに、子どもに冷たいのではないか」

これは、あるとき2歳のチカちゃんのお母さんがわたしに相談してくださった言葉です。

どちらかというと落ち着いていて、特に困った様子もないチカちゃんのお母さんは、レッスンで毎週わたしに会っていました。スッと来て静かに楽しみ、スッと帰られます。そもそも、入会されるときも何も言わずに「入ります」とスッと申し込みされた方です。いつも安定していて、芯のあるお母さんだなと思っていました。

まさか、このチカちゃんのお母さんが「悩みをうまく言葉にできない」と悩んでいたとは！

お母さんが勇気を出して告白してくださったので、ようやくチカちゃんのことを話すことができました。たしかに、チカちゃんは何の問題もない子でした。だからこそ、「悩んでいる」と言えずにひとりで苦しんでいたのです。子どもに問題がないからといって、お母さんが不安じゃないとは言い切れないんだなぁ。わたしは、このお母さんのおかげで、母親の抱える孤独と不安の深さを改めて知ることになったのでした。

気がつくとスマホで検索している

わたしが教えているリトミックには、歩いたり走ったりできるようになる2歳くらいで来られる親子がもっとも多いです。そうすると、わたしに初めて会うのは、お母さんになってから2年後くらいということになります。

里子さんという、とても聡明で、ご自身の考えがしっかりあるお母さんがいました。ふたりの子どもたちもすくすくと育っていて、子育ての悩みはなさそうに見えます。相談されたこともありませんでした。それでいて、ミューレのイベントや、わたしが主催する子育ての講演会などにすべて足を運んでくださるので、「特に困っている様子はないのに、どうしてそんなに熱心に参加してくださるんですか？」と聞いてみました。

すると、「今は大きな悩みはありませんが、先生とお会いするまでの2年間、もうずっとスマホで子育てのことを検索し続けていました。うちの子は、とにかく食べませんでした。どうしたら食べてくれるのか、このまま食べずにいたらどうなるのか、とても不安で、ずっとそのことを検索してスマホにかじりついていたんです」と、意外な答えが返ってきました。

たしかに、リトミックや子育て支援などに連れて来られるようになる1歳か2歳までの間は、核家族だとお母さんが孤独に乳児とふたりきりでいることになりますね。この間、もっとも多く聞かれる悩みは、「眠らない」「食べない」「しゃべらない」「立たない」など、発育に関することです。

里子さんのように、どの程度なら異常なのか、病院にかかるほどなのか、それともこのままでいいのか、自分で判断することができずにひたすらスマホにかじりついていて、わたしと出会うころには言うほどの悩みも無くなっているお母さんは案外多いのです。自分で判断できないのは当然です。だって初めてなんですから。

どこにも出かけられない約2年間、もっと気軽におしゃべりできる場があるといいなと思いました。2歳を超えて、悩みがなさそうに見える里子さんも、「食べない」ということに翻弄され、スマホの情報に振り回されていた孤独な2年間が、お母さんとしての自信を削いでしまっていたんですね。

いいお母さんは感情的に怒らない？

わたしの教室には、あちこちの子育て講演会に足を運び、育児書を何冊も読み漁っている、「子育て迷子」のお母さんがたくさんいます。ひとつひとつの講演会ではよい話を聞いて、「うん、うん、その通り！」と納得するんだそうです。話の内容もよく覚えていらっしゃいます。ところが、どんなにいい言葉を聞いても「モヤモヤした気持ちが晴れることはない」のだそうです。

そんな子育て迷子さんたちが口をそろえて言うのは、「そのときはわかった気になっても、我が子を目の前にするとついイライラしたり怒りすぎたりして、なかなか実行に移せない」ということです。よくよく話を聞くと、「自分がいかによいお母さんになるか」、つまり理想のお母さん像を描いて、そうなるために彷徨っているということがわかりました。

では、よいお母さんとはどんなお母さんなのかと聞くと、「感情的に怒らないお母さん」という答えが返ってきます。それじゃあわたしは思いっきり落ちこぼれね、と笑いました。わたしは喜怒哀楽の激しい、感情的なお母さんでしたから。なぜそんなに感情豊かであることがダメなお母さんの烙印になってしまうのでしょうね。

感情的に怒らないお母さん……、つまり、まるで仏様か観音様のように動かない心を手に入れるには、相当な修行が必要そうです。そうなる前に、子どもは18歳になって家を出て行ってしまうのではないでしょうか。多くのお母さんが「いかに怒りをコントロールするか」を追求しているように思います。怒ったり泣いたり、子どもに感情をかき乱されたくない、とも言います。

思いもよらない感情が湧いてきて苦しい

わたしの教室では、４歳になると少しずつ、親と離れて子どもたちだけでレッスンを行います。「ばいばーい！」とあっさり離れる子もいるし、涙が出る子もいます。

４歳半のりんちゃんは、「ママといっしょがいい」としばらく泣いて、ようやくひとりで教室に入れるようになった子でした。

お友だちと楽しく過ごせるようになって、わたしもお母さんもホッとしていたある日、レッスンの途中でトイレに行ったあと、大泣きして教室に戻ってきました。「どうしたの」と聞くと、「ママがいない！」と嗚咽して、もうその日はレッスンになりませんでした。「よしよし」と背中をさすりながら玄関で待っていると、お母さんがお迎えに来られ、りんちゃんを乱暴にガッと引き寄せ、抱えて帰られました。

わたしは気になって、次の週、お母さんとお話をしました。
「あのとき、どんな気持ちになったの？」と聞くと、「頭に血がのぼって、このバカ娘！と思いました」とおっしゃいました。「りんちゃんはスムーズに親子分離できていたよね？なぜあの日だけ泣いたのかしら？」と聞くと、「りんが外で待っていてねと言ったのに、わたしがいなかったからだと思います」とのことでした。わたしが「りんちゃんが泣いたのは、ママが扉の向こうにいると信じていたからでしょうね」と伝えると、「買い物に行っただけで、すぐ迎えに来るってわかっていたのに。まったく！　すみませんでした、娘のわがままで」とおっしゃって、その日は帰られました。

後日、お母さんからていねいなメールが届きました。

〝先生、こんばんは。りんの行動について、主人と話をしました。主人は、それはおまえが悪いよね、約束を破ったんだから、と言いました。わたしは「なんでわたしのせいなのよ！　この子がわがままを言って迷惑をかけたのに！」とキレました。

でも、ひとりでお風呂に入っているときに先生の言葉が浮かんできたんです。「信じていたのに」という言葉です。それで、ハッとしました。「そうだ、ママがいなかったから泣いたんじゃない、わたしが裏切ったからだ！　それがショックだったんだ」って。

あのときは、「うちのバカ娘のせいで、人に迷惑をかけた」ということで頭がいっぱいでした。りんの気持ちまでまったく気が回らなくて、自分でも驚くくらい、怒りだけが湧いてきました。子どもの気持ちを尊重したいと思って育てているのに、いざそのときになると、怒りでいっぱいになってしまいます。かわいそうなことをしたと反省して涙が出ました〟

こんな風に、小さな子どもの気持ちを考えると本当はとてもかわいそうで、「よしよし」って抱きしめていい場面で、猛烈な怒りに心を支配されてしまうお母さんがたくさんいます。落ち着くと、なぜあんなに感情がかき乱されたのか、自分でも理解できなくて苦しいんだそうです。

謝罪合戦が始まる理由

1歳さんのクラスでは、まだ歩き始めたばかりのヨチヨチさんがたくさん来ます。可愛らしいヒヨコちゃんがピヨピヨしているみたい。「はい、みなさん、こちらを向きましょうね」なんて言っても無理無理！　だぁれもわたしのことなんて見てなくて、まるで一人芝居のような苦行になることもあります。苦行ですけれど、平和で可愛くて、ただただ癒しの時間でしかありません。

あれ、ヒヨコちゃんがトトトト歩いて、別なヒヨコちゃんにこっつんこしました。まだ頭でっかちのヒヨコちゃんですから、ふたりともどしーんと尻もちをついてしまいました。わたしは心の中で数えます。「いち、に、さん」。「……うわぁぁ～～ん！」泣いてるお顔も可愛い！

すると、ヒヤヒヤ見ていたお母さんたちが一斉に駆け寄り、お互いに「ごめんね、ごめんね！」が始まります。相手のお母さんに向かって「すみません、うちの子が前を見ていなくて」「いえいえ、うちの子が邪魔していたんです！」。

誰も悪くないこっつんこですらこの調子ですから、誰かが持っているボールを取った、どいてほしくてペシンと叩いた、わざと押して転ばせた、なんてことが起きた日には、ものすごい勢いで謝罪合戦が始まります。

それで、こっそり、親しくなったお母さんに聞いてみたことがあります。「なぜ、すごい勢いで謝るの？」って。そうしたら、「子ども同士はぶつかったりケンカをしたりして大きくなるってわかってるし、できれば見守りたいんです。でも、相手のお母さんがどう思っているかがわからなくて怖いんです」とのことでした。

お母さんとしての評価がプレッシャー

とは言え、1歳さんと2歳さんのクラスは、基本的にとても平和です。どんな子がいても、お母さんたちはにこにこと穏やかに見守っています。「うちの子、○○なんですけど、大丈夫でしょうか」という内容もまだ深刻ではなく、「大丈夫だから、そのまま育ててね」と言うと、ホッとした顔をされます。

わたしはいつも、「お願いだから、今のその気持ちを忘れずに、この先も育ててね」とお伝えします。お母さんたちは「はい、当然、そのつもりです」という表情で、わたしが何を言っているのかわからない様子です。

ところが、子どもが3歳になると、様子が少し変わってきます。おむつが外れているか、お返事ができるか、くつを履けるか……。それまで「うちの子はゆっくりペースなのかも」と見守っていたお母さんが、にわかに険しい顔になり、ピリピリ、イライラ、叱ることが増えます。

何があるかというと、そう、入園です。最近は、３歳の誕生日から入園する子も増えてきて、入園時期がそれぞれになったので、「一斉に感じるピリピリ感」は減ったように見えます。もしくは、きちんとできている子どもが増えたようにも見えます。

次にピリピリキャンペーンがやってくるのは、入学の時期です。他の子に比べてできていないことが気になり、叱る声が厳しくなります。１年生の最初から、忘れ物がないか、字は書けているか、宿題をやったか、「言われたことをちゃんとやること」に重きを置いているように見えます。

あるお母さんが、「自分の子がちゃんとしているか、わたしがお母さんとしてちゃんとしているか、入試のように評価されているような気持ちになる」と教えてくれました。まるで自分がまた生徒になって合否を言い渡されるかのように思うそうです。

わたしは「そんなことないよ」と簡単には言えないと思いました。だって、ちょっと失敗するとLINEで悪口を言われる、元Twitterで叩かれる、ママ友に陰口を言われる、園や学校の先生に接し方をたしなめられる。それらが全部「気のせい」とはわたしは思いません。それに、ネットには〝子育ての正解らしきもの〟があふれていて、試行錯誤や失敗が許されない世の中だからです。

育児放棄、貧困、子どもの重病など、今すぐに専門家の助けが必要な問題があるわけではない場合、「恵まれていて、幸せなはずなのだから、悩んでいてはいけない。悩みがあるはずがない。それなのにモヤモヤするなんて、自分は甘くてダメな母親だ」と思ってしまうようです。こんな気持ちを人に言って、時間を奪って迷惑をかけてはいけないと、抱え込んでしまっています。母親になったプレッシャーや、「他のお母さんはうまくやっている」と思ってしまうような情報に押しつぶされそうになっている、孤独なお母さんは、わたしの教室ひとつにもたくさんいます。こんな小さな教室でもそうなんだから、全国にはいったいどのくらいの辛いお母さんがいるのでしょう。ひとりで悩まないでほしいな、なんとか助けになれないかなと思っています。

第3章

お母さんが
だめなんじゃない

わたしたちは失敗を許されなかった

ここでは、わたしがお会いしてきた大勢のお母さん方を、ひとつのタイプとして統合してお話しします。もちろん、女性全員がこのようなお母さんというわけではなく、さまざまなケースをまとめて人格化しますので、ご自身に当てはまらないこともたくさんあると思います。その場合は、「こういう人もいるのだな」と思ってお読みください。

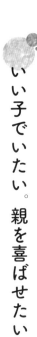

いい子でいたい。親を喜ばせたい

わたしの教室、音楽教室ミューレは、浜松市のはずれにあります。浜松はとても温暖な気候で、住んでいる人たちも穏やかで、排他的ではありません。ミューレは浜松駅から車で40分～50分の距離にあり、市内の相場から比べると月謝は高めです。リトミックが中心で、下は０歳から18歳で高校を卒業するまで続ける子がいます。リトミックといえば、小さな子どもがピアノを習う前にやるならいごとというイメージが強いかと思いますが、ミューレに来ている子はピアノを始める子の方が圧倒的に少なく、「リトミックを」習うことを目的としています。

そんな環境だとどういう方が来られるかというと、とても良識的で保護者同士のもめごとは20年間皆無、お父さんの参加率が高く、生活は安定していて教育費をしっかりかけているご家庭が多いです。楽器やバイク、自動車のメーカーが集まっている街なので、浜松で生まれ育った方と、就職のために移住して来られた核家族の方が半々くらいです。ミューレの保護者様をざっくりと「どんな子だったか」と分けると、「いい子」の枠に入ると思います。

わたしは全国の親に向けて、子育ての発信をしています。その読者様もおおむね「いい子」だっただろうな、という方です。この本を手に取られた方も、どちらかというと「いい子」だったのではないかと思うのですが、いかがでしょうか。

「親の言いなり」というようなマイナスなイメージではなく、親の助言を上手に聞いて期待に応えるように育ったのだろうなと思うことがよくあります。また、社会的な「いい子」でもあると思います。ひとりひとりに聞くと「手抜きしている」とおっしゃるかもしれませんが、日本全体から見ると、家事育児について「よいお母さん」と言われる生活をされています。「いい子でいよう」とガチガチに育ったというより、自然にそうなったのだろうなと思います。

わたしが接しているお母さん方にはおよびませんが、わたしも大枠で言うと「女性はこうだ」「母親はこうだ」というような、親や社会の期待に応えようとして生きてきた方だろうと思います。実際にはそうできなかっただけで……。

あまり出会うことがないので、理解していると言えるほどではありませんが、虐待のサバイバーや貧困家庭、親の愛情を受けられずにグレたというお母さんにお会いすると、それはそれでやはり「親の期待に応えたいのに応えられない」という苦しみを抱えているのを感じるのです。

教室で会う子どもたちを見ていても、やはり「いい子」が多く、とても自然な欲求として「親にとっていい子でいたい」と本質的に願っているのだろうと思うことがあります。愛されたいから当然ですよね。そして、ジェンダーがどこでどう生まれ育つのかわかりませんが、総じて女の子は「聞き分けのよい、いい子」が多いです。

4歳になると子どもは大人の顔色をうかがう

2歳の子どもはとても自由です。大人の顔色をうかがっている子も、先生の言う通りにいい子にしようとする子もいません。レッスンの中で気に入ったことは何度もやりたくて泣くし、気に入らないことはわたしに気を使うこともなく、知らんふりです。「お名前なぁに？」と聞いてもふにゃふにゃとはにかんで答えないので、ついてきたお母さんがヒヤヒヤして「ほら、先生が聞いてるよ！」なんて言ってくれます。当然、「ここであまりにも黙っていたら空気が変になって気を使わせるから、そろそろ言わなくては」なんて思っていません。

3歳になると上手にお話できる子が増えますが、それでもまだ宇宙人だらけです。

3歳児クラスに来ているミコト君は、なぜか自分のことを先生だと思っています。レッスンに来ると自分で椅子を持ってきて、ピアノの横に置き、音符カードを自分なりの並べ方で整理します。そして、「今日はいつ使う？　最初にやる？」と、わたしの立てた指導案をチェックし、使う場面になると「キタ！」とばかりに張り切って配ったり並べたりします。基本的にレッスンには参加しません。わたしの目にはひとりで黙々とやっているように見えるのですが、「帰りのごあいさつをしますよ」と言うと、「えぇ〜〜、もっとみんなと遊びたかった！」と言うので、彼の中では「みんなとやっている」ということになっているようです（笑）。

同じく3歳クラスのタイキ君は、ある日のレッスン中、「鼻が出た。ティッシュちょうだい」と言いにきました。使ったティッシュを持ってきたので、ゴミ箱に捨てたら、なぜか「そ、そんなところにゴミ箱が!?」と驚きました。このゴミ箱は、かれこれ5年くらい同じ場所にあります。すっかりハマったタイキ君は、わざと何度もティッシュで鼻をぬぐい、わたしに「捨てて」と持ってきて、ゴミ箱を見るたびに目をまんまるにしていました。

ミコト君もタイキ君も、なぜそういう行動をとるのか、まったく計り知れません。そして、この子たちの行動を、誰も気にしておらず、笑う子もいません。

こんな風に自由な宇宙人が変わるのは4歳ごろからです。

まず、言いつけが始まります。それ

だけではなく、誰かが叱られると、鬼の首を取ったように「わたしはやってなーい！」と大きな声で言うようになります。新しいことを「誰かやってみる？」と聞くと、「え〜、やらな〜い」と、明らかに周りを見ながらわざと言います。もしくは、気配を消して、自分が当たらないようにします。誰か最初のひとりがやると、次々同じように真似して、今度は最後のひとりにならないようにします。嫌だろうと何だろうと、先生の言うことを聞くようになります。聞くというより、先生の言う通りにしようとします。先生が何を正解としているのか顔色を探るようになります。

たいへん大きな変化です。

10年ほど前までは､保育園に通う子は4歳になっても自由気ままで手のかかる子が多く、幼稚園に通う子は集団で一斉に言うことを聞くか、気配を消すようになる子が多かったのですが、最近はどちらも同じになりました。

4歳は、社会性が芽生える年齢です。ようやく周りが見えてきます。園の集団生活では、ひとりひとり発達の違う子どもたちにすべてを納得させるのは難しく、先生の言う通りに行動しないと怒られます。なぜ怒られているのか、全員が理解するのも難しいでしょう。そうこうしているうちに、子どもたちは「意味はわからないけど、とにかく先生の言う通りにしておけば安泰だ。わからないことは気配を消して、みんなと同じにすれば怒られない」ということを学ぶのではないかと考えました。

子どもたちの急激な変化を目にするたび、わたしたちも、こんな風にして、「みんなと同じ」「大人の言う通りにする」という処世術を身につけたのではないかと推測するのです。

親の期待は裏切っていい

4歳で意図せず「みんなと同じ」「大人の言う通りにする」を身につけ、これまでずっといい子で育ってきたわたしたちは、自分の意思に関係なく、無意識のうちに女性として親の期待に応えようとしているのではないでしょうか。

でももう、親の期待は裏切っていいのです。なぜなら、親はわたしたちだからです。親にとっていい子である必要はもうありません。

わたしたちは子育てを教わっていない

親になったとたん、肩の力を抜けと言われてもできない

わたしが第一子を出産したすぐあと、こんな新聞の投書がありました。大きな衝撃を受けたので、よく覚えています。

わたしは子どもの頃から、がんばれ、がんばれと言われて育ちました。勉強もがんばれ、部活もがんばれ、たとえできなくても全力でがむしゃらに努力するように言われました。少しでも偏差値の高い高校、大学へ入るのがよいことだと教わりました。男女雇用機会均等法が制定された1985年当時、高校生になりました。男子と同じように進学を目指し、四年制大学に入って総合職に就きました。会社では女性も残業が当たり前、時には徹夜をしてがんばりました。

ところが、出産をして母親になったとたん、急に「お母さん、肩の力を抜いて、おおらかに」と言われるのです。夫は相変わらずがむしゃらに働いています。母親のわたしだけが、「全力でがんばる」から急に引きずり下ろされたのです。母親になったとたんに「肩の力を抜け」と言われても、今まで一度もやったことがないので、できません。こんな人生が待っているのなら、なぜ、肩の力の抜き方を教えてくれなかったのですか。なぜ、勉強ではなく、子育てを教えてくれなかったのですか。

出産直後で「さぁ、これからいいお母さんになるぞ！　がむしゃらに努力してがんばるぞ！」とガチガチに肩の力を入れていたわたしにとって、本当にショックな投書でした。「全力でがんばる」ということに疑問すら持っていませんでしたし、わたしも「がんばらない」ことをやったことがありませんでした。わたしが学生のころはまだ「男子は技術、女子は家庭科」と分かれて授業を受けていた年代でした。エプロンを縫ったり、鮭のムニエルを焼いたりしましたが、たしかに、出産も子育てもひとつも教わりませんでした。「習った通りに正解を出す」という教育を受けていたので、赤ちゃんのお世話の何もかもが「これで合っているのか」という不安で押しつぶされそうでした。けれど、この投書を読んでいたおかげで、「不安になるのは無理もない。だってそういう教育だったから」と思うことができました。

なぜ母親だけがキャリアをストップしなくてはならないの？

出産したときは体もボロボロで余裕がなく、「落ち着いたら何らかの仕事はしたいな」と漠然と思っていましたが、「こんなに大変なら、仕事を辞めておいて本当によかった」と思いました。ですが、自分で稼いだお金で暮らすのが当たり前だと思っていたので、初めて収入が無くなり、夫のお金で50円の消しゴムを買おうかどうか迷ったとき、「養われる暮らしはいやだ」と強く思いました。それで、割とすぐに自宅でできる仕事を請け負ってフリーランスで働き始め、その後音楽教室を始めました。

教室に来られるお母さんは、２０００年代はほとんど専業主婦でした。２０１５年に土曜日のクラスを作ったときにも、まだまだ平日の方が人気で、「土曜日どうですか？」とお誘いしていたのを覚えています。

２０２３年の今は、完全に逆転して、土曜日は常に満席が続いています。働くお母さんが増えました。共働きの会社員夫婦も増えましたが、まだ出産を機に退職する方が多いように思います。

ふと考えました。ここに来ているお母さんたちは、それぞれに進路があったはず。さまざまな職業の専門家がいるはず。なのに、こうしてお母さんになると、どこの大学または専門学校へ行ったかなんて、まったくわからない。どんな職業の、どんな専門家かわからない。18年の間、勉強をがんばり、大学を目指した人もたくさんいたはずで、そのときには男子と同じように少しでも偏差値のよいところを目指した方もいただろう。それなのに、ものの数年でそれが無になってもいいのだろうか、と。そんな世の中でよいのか、と。

お子さんが入園する年齢になると、仕事を始める人もいます。けれど、そのときには出産前にせいぜい数年勤めたキャリアは無いに等しく、何よりその仕事を希望している人は少ないのです。「そんなにやりたいことではなかったから」です。ですから、子どもが園へ行っている数時間、内容より何より時間的な都合が合う職場で非正規雇用で働く。中には、日本を支えるような優秀な方もいらっしゃったかもしれないのに。教室でやり取りをしているときに、明らかに仕事ができそうな方が多くいらっしゃるのです。大勢のお母さんを見て、「女性の生き方」や「キャリアデザイン」に疑問を持つようになりました。

四年制大学を出て30歳前後で出産したとすると、勤務期間は10年以下です。そこで中断して5～6年後、30半ばから40歳近くにまた一からの出直しです。年齢制限で働けない職場もあると聞きます。自分が納得しているならいいじゃないかと思われるかもしれません。ですが、わたしがお話を聞くお母さんたちは、「何者でもない自分」を不安に思って泣くのです。自分を納得させるしかないように見えます。

それでもまだ、子どもたちが中学生くらいまではよいのです。子どものお世話が大きなやりがいと忙しさを運んでくれますから。子どもが思春期になり、手がかからなくなり、生意気な口をきくようになり、親として信念をもってガツンと向き合わなくてはいけないとき、言葉が出てこないと嘆くのです。

なぜ言葉が出てこないかというと、もっとも脂の乗った30歳前後に、自分に向き合い、仕事上、自分を高めて自信をつけるチャンスを奪われたからだと思います。それなのに、相変わらず子育ての中心は母親にあり、子どもが社会に出る準備をさせる役目が重くのしかかっているように見えます。悩むお母さん、不安なお母さんが多くても当然なのではないでしょうか。未来の人材育成という大仕事を任せられているにも関わらず、社会との接点も少なく、社会から尊重されてこなかったのですから。

お母さんたちが匿名で参加できるLINEのオープンチャットを運営しています。全国、さまざまな年代の方が250名以上参加してくださっています。そこでは、子どもの言動の悩み以上に、「自分がわからない」「自信がない」「社会から取り残されているように感じる」などの告白に、多くの共感が集まります。

いっしょに子育てを学びましょう

ではどうすればいいのでしょうか。

近所づき合いも大家族も減り、核家族が増えた今、わたしたちが「自然に子育てを学ぶ」ことは昔に比べて難しいんです。わたしたちの母、祖母世代が「当たり前にわかる」とされていたことがわたしたちはわかりません。赤ちゃんが育つ様子を間近に見たことがない人も多くいるでしょう。しかも「女は子どもを産んで育てろ」ではなく、「男子と同じように勉強をがんばれ」と言われて育ったのですから、母や祖母世代とは経験が違うんです。

だから、子育てのことを、これからいっしょに学びましょう。

子育ての学び方

子育ての悩みは尽きず、子どもが元気だろうと問題がなかろうと、ずっと不安でモヤモヤしているお母さんがいる一方で、子どもが発達障害でも不登校でも悩んでいないお母さんもいます。ここでは、モヤモヤしていたお母さんたちが悩まなくなっていったプロセスをご紹介します。

共感で終わると解決しない

ときどき、ミューレで「先生、ちょっとお時間いいですか」と悩みを相談されることがあります。詳しく話を伺い、「それはこうしてみたら」と具体的な解決策を提案します。するど、ほとんどの場合、こんな返事が返ってきます。

「ありがとうございます！　スッキリしました。しばらく様子を見ます」

え？　わたしは拍子抜けしてしまいます。え〜と……。ま、まぁいいか。

それから数ヶ月経ち、また同じお母さんから「先生、ちょっといいですか」と声をかけられます。詳しく聞くと、数ヶ月前と同じことで悩んでいます。ちょっとシチュエーションが変わっただけ。それでわたしはまた同じように解決策を提案します。すると、お母さんのお返事はこうです。

「ありがとうございます！　スッキリしました。しばらく様子を見ます」

　こんなことを何度も繰り返しました。どうしてお母さんたちは解決しようとしないんだろう。長いこと理解ができませんでした。でも、今はようやくわかります。

「なるほど！　お母さんたちは、悩みを解決したいんじゃなくて、スッキリしたいんだ！」って。

図1にしてみました。

子どもの問題で自分がモヤモヤしているときのポイントが丸印です。わたしが話を聞いただけで、お母さんのモヤモヤはぐーっと下に下がり、スッキリしますね。けれど、「子どもの問題」の方を見てください。「問題あり」のままで、実は何も変わっていません。ずっと悩みがなくならないお母さんは、この上下を繰り返しているんです。実際の悩みは「子どもを伸ばすためにどうしたらいいか」ではなく、「自分の感情をかき乱されたくない」なんです。

一方、子育ての悩みが解決する状態は図2です。

子どもの問題を具体的に対策すると、子どもの問題は収まるなり解決するなりして、悩みは左へ移動します。

図1　子育ての悩み（スッキリしました）

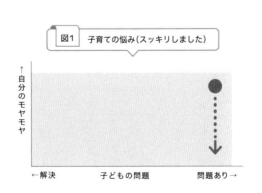

でも、自分のモヤモヤはそれとともにスッキリするかもしれないし、しないかもしれません。本当に子どものことだけを考えたら、それはどちらでもいいんです。自分のモヤモヤは、ご主人に聞いてもらうなり、友だちに聞いてもらうなり、別な解決ができます。「先生、ちょっといいですか」と声をかけるお母さんは、この違いをわからずに、聞いてもらう先をわたしにしているだけです。だから自分のモヤモヤが晴れたところで、子どもの問題が解決したと勘違いしてしまうんですね。実際には解決していないので、しばらく同じことを繰り返してしまいます。

図2　子育ての悩み（対策をした場合）

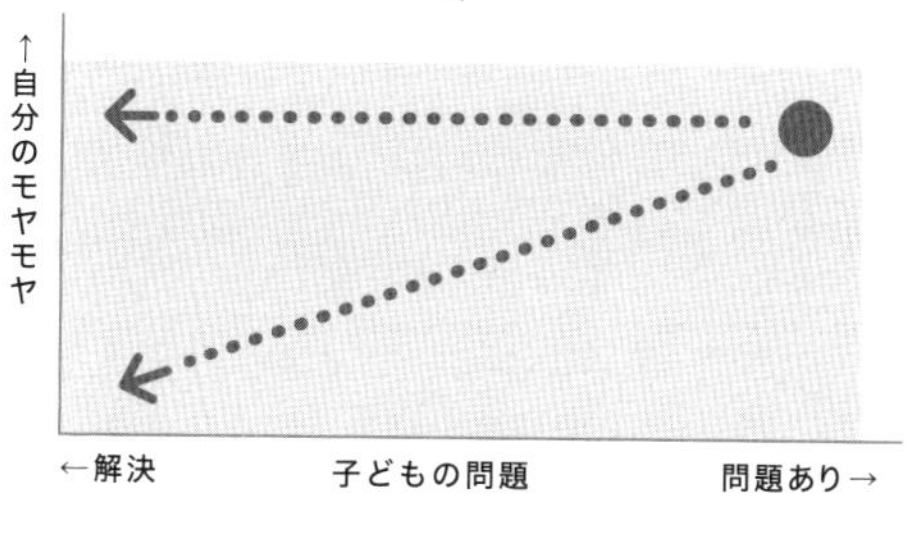

保育と子育ては違う

「子どもが寝ない」「切り替えがうまくいかない」「食べない」「友だちと遊べない」「歯磨きをやりたくなる声かけ」などなど、子育てをしていて、自分の手を煩わされることをインターネットで検索すると、たくさんのノウハウが出てきます。じっくり頭を使って考えるものより、パッと試してパッと効き目があるものが人気です。これで解決するのは、「親のモヤモヤ」「親の煩わしさ」です。もちろん、ときには親がスッキリすることが大切な場合もあります。ですが、結局は応急処置をしただけで、根本的な解決には繋がりません。ましてや、「子ども自身が伸びる」ということは期待しにくいでしょう。

子どもの扱いのノウハウがあまりにも広まっていて、まるでこれが子育ての悩み解決策かのように見えますが、これらは保育のノウハウです。わたしのように、子どもの集団に何らかの指導をしている場合は、テクニックとして身につけるとスムーズに運営できることがあります。でも、子育ては「テクニックでスムーズにやること」が目的ではありません。「４歳児の集団」ではなく、「目の前にいる、ひとりの我が子」が相手です。

ご飯の時間は給食の時間ではないし、睡眠は午睡時間ではなく、どれも「生きる営み」です。ラクにサッとこなそうとせず、七転八倒しながらじっくり向き合うことこそ、子育てで大切なことだと思います。その七転八倒が、思春期以降の接し方に活きてきます。当然、10代の子どもには、保育のテクニックはひとつも効き目がありません。

子育てに必要なのはスキルではなく、我が子と人として向き合う覚悟だと思います。

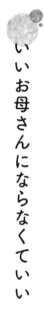

いいお母さんにならなくていい

「いいお母さん」ってどんなお母さんでしょうか。いつも笑顔で美味しいご飯を作ってくれ、家事をちゃんとこなす人？　園や学校からのお知らせをきちんと把握し、子どもに忘れ物をさせず、楽しく宿題ができるように上手な声かけができる人？　もし、子どもを伸ばしたかったらそういうステレオタイプの「いいお母さん」を目指すのは諦めましょう。

日本のお母さんは家事をやり過ぎです。家事は家族みんなが生活する上で必要なことなので、全部をお母さんが背負うのはおかしいし、「お手伝いされる」こともおかしいのです。お父さんの中には、結婚前にひとり暮らしをして自活していた方もいらっしゃるでしょう。学生時代や独身時代、家事をしながら生活することを「家事と勉学の両立」とか「家事と仕事の両立」なんて言わなかったと思います。生活するために必要なことをやっていただけ。それなのに女性が子どもを産むと「家事と子育ての両立」、働く母親の場合は「家事と子育てと仕事の両立」なんて言われる。それがおかしいのです。これからは家事のアウトソーシングも進むでしょうし、家事に絡めた「良妻賢母像」もどんどん崩れるでしょう。いち早く、そこから抜け出てください。

「子育て」というと、まだまだ「母親の仕事」で、父親は「参加」なんて言われます。お父さんに「子育てに参加して！」と言うと、なんだか手伝いとかおむつ替えやミルクやりをイメージしてしまいます。

「子育て」を「子どもの教育」に言い換えてみてください。俄然、男性も身を乗り出して興味を持ちます。ビジネスの世界では、行き着くところが「教育」に繋がることがとても多いです。ビジネス系の動画を見ると、著名な経営者たちが未来の教育について、グローバルがどうとか、クリエイティビティがどうとか、ITだとか、最先端の討論を交わしています。それはそれで参考になりますが、わたしはいつも「この人たちは、実際に自分の子を育てているんだろうか」と疑問です。そして、討論のテーブルには「ごく当たり前のお母さん」がひとりもついていません。もっとも子どもの教育に近い人が、議論には加わっていないのです。

ぜひ、今日からご家庭に「教育についての議論」を入れてみてください。いいお母さんではなく、教育について、自分の意見を語れる親を目指してみてください。そこにはハッピーもおおらかも太陽もキラキラも関係ありません。ただ、自分の意見を持つだけです。そして、お母さんもお父さんも関係ありません。必要なのは「親」です。

仲間と語る

「さて、教育について語ろうか」と言っても、急には出てきませんよね。まず、世の中の「教育に関するニュース」に目を向けてみてください。Facebookや元Twitterにはたくさんの教育系アカウントがあります。ニュースをピックアップしてシェアしてくれます。それを読むのは知識を身につけるためではありません。読んだら、ぜひ、友だちやお父さんとそれについてどう思うか、語ってみてください。立派な意見を交わす必要はありません。雑談で大丈夫です。だんだん慣れて面白くなっていきます。

お母さん方から相談される悩みは、「教育を語れる人（友人や夫）」との会話で解決するのでは？　と思うものがたくさんあります。そこで、「そのことを誰かに言ってみた？」と聞くと、ほとんどの方が「話せる相手がいない」と言います。真剣に教育の話ができる相手かどうか確かめるためには、話してみるしかありません。自分が話したいと思ったときに話していると、だんだん「この人は教育の話をする人だ」と認識されていきます。引く人もいるかもしれませんが、そのうちきっと「わたしも話したかった！」という人に出会えます。相手を探す前に、あなた自身が話しかけてみてください。ちなみにわたしは、空気を読まず、いつも教育の話をしています。

３年ほど前から、月に一度、Zoomで子育ての話をする「そうだん会」を運営しています。毎月、会員さんが出してくれたお悩みや世間のニュースなどを題材として、グループごとに意見交換をし、最後にわたしが所見を話します。これを毎月繰り返していると、徐々に、みなさんから細かい悩みが出てこなくなりました。語る内容や自分を振り返る深さがどんどん深く、前向きで、長い視点になっていくのがわかります。こうなると、日々の悩みは自分自身で解決することができるようになり、目先のノウハウは必要なくなります。ぜひ、語ってください。

悩みのないお母さんの特徴

ミューレには、「この子育てを参考にするといいな」と思うお母さんが数名います。何ごともなく、立派に育てているわけではありません。発達がグレーと言われていたり、発達障害の診断をされていたり、園に行き渋ったり、不登校になったり、友だちとトラブルになったり、悩みのタネになりそうなことはたくさん起きています。でも悩みとして相談されたことはなく、いつもご自身で対応されています。

無理している様子はありません。子どもたちはとてものびのびと成長しています。それだけではなく、成長に従って、次々と素晴らしい特性が発揮されて「この子は伸びるだろうな。素晴らしい人材に育つだろうな」と明るい未来が見えます。具体的な悩みを相談されたことはないのですが、わたしの教育講座には熱心に参加され、発信もまめに読んでくださっています。ご夫婦で教育について話し合っている様子も見られ、お父さんからも子どもたちについて連絡をいただくことや語る機会があります。

このようなお母さんに共通していることがあります。それは、「ご主人から、人としてとても尊重・尊敬されていること」、「子どもを最初からありのままで受け入れていること」です。

シュウちゃんは、２歳のころから明らかに変わったところのある男の子でした。今は家電メーカーの名前やＣＭのサウンドロゴに夢中です。グループレッスンに参加できないほどではありませんが、お母さんは「発達がグレーです」とご報告くださっていました。この子が小学校に上がるとき、最初から「支援学級に入ることに決めました」とおっしゃっていました。これが大正解で、スムーズに入学し、毎日、本当に楽しく学校へ通っています。

ミューレでは、どんなに幼くても、教室内のことを親任せにせず、「自分のことだ」と自覚させるようにしています。たとえばワークショップの案内があったときは、こっそり親にも連絡してありますが、内容や日程を本人に伝え、「もし行きたかったら親にお願いしなさい」と伝えます。ある日、シュウちゃんのクラスにワークショップの案内をしました。帰りのごあいさつのときに、もう一度「今日は、ワークショップのことを親にお願いしてね」と念を押しました。でも、わたしは言いながら「今のはまずかったな」と反省していました。シュウちゃんの集中力が明らかに切れていたからです。シュウちゃんは、ぴょんぴょんとジャンプし、「早く帰りたーい」と言っていました。そうだよね、こんなに終わり間際に大事なことを念押ししてごめんねと思いました。

すると、教室を出たとたん、鬼のような顔でお母さんが待ち受けていました（笑）。ジャンプしているシュウちゃんを捕まえ、「先生が大事な話をしているときに、あんたはなんですか!!」と大きな声で叱りました。シュウちゃんは突っ伏してうわぁあんと大きな声で泣きました。それがまた扉の前だったので、「邪魔です！」と言って、お母さんはシュウちゃんをどかしました。泣き止んだシュウちゃんに、「何を怒られてたん？」と聞くと、「ちょっとねー、話を聞いてなかったからねー、ごめんね」と、照れくさそうにわたしに言いました。

こんな風に、自分のポリシーに従って、人前で子どもをきつく叱るおっかさんを久しぶりに見ました（笑）。わたしは「明らかに集中力が切れていたのに念押しして、わたしの指導が悪かったのですが、お母さんの言っていることはとても大切なことと思いました」とメールを送りました。お母さんは「あの子はその場で言わないとわからないから。お見苦しくてすみません」とおっしゃっていました。

発達がグレーな子について、表面的に「受け入れる」というノウハウが独り歩きをして、ちっとも受け入れられていないのに、「グレーだから仕方ない」と教育を諦めてしまう方が多い中、シュウちゃんのお母さんは最初からちゃんと受け入れ、その上で、「先生の言うことを聞きなさい」と、苦手である「社会的に目上の人を敬う」ということを厳しく教えたのですね。「今、ここで教えておかないと、この子は自立できない」と魂を込めて教育されたのです。親だから。

悩まないお母さん方の特徴は、「問題を先送りしない」ということです。それが正解かどうかは気にしていません。日頃から教育について考えていらっしゃるから、自分でポリシーを決めて、それに従って行動できるのだと思います。もしその指導が間違っていたら、別な方法を試されるまでです。そうやって、解決するまで何度も諦めずに行動されます。

問題を先送りしないので、結果として悩みになるまでこじらせることがないんです。

生きる力をつける親になろう

子育ての悩みは多岐に渡り、悩み方も人それぞれです。「こうすれば解決する」という方法をひとつ覚えても、子どもの成長とともにまた新たな悩みが生まれます。いったいどこから手をつけたらいいのか、果てしなく感じてしまいますよね。

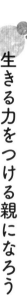

わたしは、たくさんの子どもたちが自立をするプロセスを見つめる中で、あらゆる悩みに共通する解決策を見つけました。それは、子ども自身が生きる力を身につけるということです。親がなんとかするのではなく、子どもが自力で困難に立ち向かい、解決するわけです。

わたしは、親が持たせてあげるとよいのは「6つの生きる力」だと考えました。本当は

「生きる力」を定義することはできないし、数を決めることもできません。けれど、モヤモヤしているお母さんたちにとって、何かはっきりした指針のようなものがあると前に進めるように思います。そこで、「意思を持つ力」「学ぶ力」「夢を持つ力」「挑戦する力」「失敗から立ち直る力」「自分を好きになる力」、この6つに集約してみることにしました。次の章で、ひとつひとつ説明します。

第4章

6つの生きる力

意思を持つ力

まずひとつめは、「意思を持つ力」です。これは実はとても簡単です。なぜなら、2歳くらいまでの子で、意思のない子はいないからです。

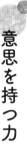

リトミックを教えていると、最初から最後まで心からリトミックを楽しんで帰る子、レッスンに関係なくただ走り回っている子、教室から頻繁に出て行く子、1年間、ずっとお母さんのおひざに座ってじっと見ている子、どの子も自分の意思でそうしています。だから、「意思のある子に育てる」というよりは、正確にいうと、「意思があるままにしておく」ということでしょうか。

意思の強い子は、育てるのが面倒くさいです（笑）。何をやるにもいちいち引っかかり、黙って言うことを聞いてくれません。「自分だったらこうしたい」ということを伝えてくるのですが、子どもですから、内容は稚拙なんです。いつもナイスアイデアというわけではなく、さっさと納得して先に進んでくれた方が講師としては楽です。

イヤイヤ期の子どもを想像するとおわかりいただけるかなと思います。あの、できもしないのに「やる！」と言って聞かない、理不尽な要求をぶつけてきて、通らないとわかるとかんしゃくを起こす、魔の期間です。子どもの意思を育てるとは、自立するまでずっとイヤイヤ期を過ごさせるようなものです。根気が要ります。

ただ……、あとから振り返ったとき、意思のある子ほど可愛い教え子として心に残ります。我が子も同じです。

学ぶ力

ふたつめは学ぶ力です。学ぶ力というと、「先生の言うことを聞いて、ちゃんと宿題をやる」みたいに思われるかもしれませんが、そうではなくて、「素直に教わったことを吸収し、自分のものにする力」のことです。素直に学ぶためには、自分の未熟さを知っている必要があります。未熟さは「ダメさ」ではありません。これから成長する可能性のある状態です。伸びしろです。「吸収する」とは、ただ言われるがままにこなすのではなく、自分の頭で理解し、実践に使えるまでに落とし込んでいる状態のことをいいます。

わたしの教室にも、学ぶ力を持った子がいます。いわゆる「1を教えて10を知る」タイプの子です。頭の回転が早いというより、むしろ最初は首をかしげ、本当にわかっているのかどうか不明なのに、次に見たときには「えっ？　こんな応用ができたの？」と驚きます。理解できないままにテキトーに返事をすることはなく、鋭い質問をぶつけてきます。興味を持って、目を輝かせながら聞いているのがよくわかります。

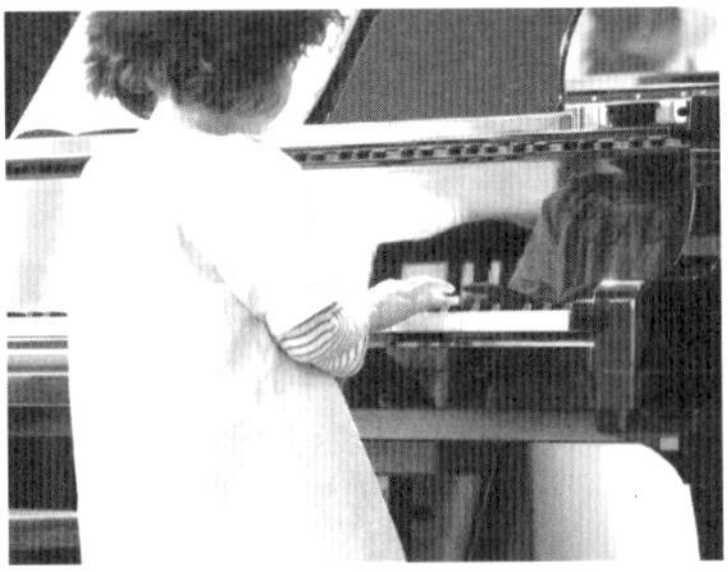

学ぶ力を持った子は、講師であるこちら側からさまざまな恩恵を引き出すのが上手です。「もっと教えてあげよう」と思うし、日頃から「これ、あの子に教えたら喜ぶかな」など、レッスンを超えて、いつも気にかけています。つまり、同じように習う子の中でも、学ぶ力のある子はとても得をしているんです。

夢を持つ力

先日、2歳児親子のレッスンで「はじめの一歩」という歌を歌いました。歌詞の中に「ぼくらの夢をなくしちゃいけない」という言葉が出てきます。それでわたしは保護者の方に向けて、「みなさんにはピンとこないと思いますが、今、この子たちは夢であふれています。ところが、中学生になるころ、その夢を持ち続けている子は、わたしの体感で10人にひとりもいません。そうしてしまうのは大人です。だから、夢を持ちなさいという前に、今ある夢をなくさないようにすることが大切です」とお話ししました。

多くの方はポカーンとして、わたしが何を言っているのかわからない様子でしたが、中学教師であるお父さんが、帰り際に「先生、あれは本当にそうですね。実感としてそう思います」と共感してくださいました。

わたしの次男は美大を目指していた高校生のころ、「周りに夢を持った同世代がいなくて辛い」とよく嘆いていました。そのときにはわたしは「夢を持つ子どもを応援する派」でしたから、「えぇ、これから何だってできるのに！　なぜ？」と思っていました。

でも、よくよく自分を振り返ると、そういえば、わたしもいつのころからか、「夢」という言葉そのものを口にしないのが大人、という考えを持つようになっていたことを思い出しました。それが変わったのは、30歳で起業をして、経営者に相談に行ったときのことです。経営のやり方を具体的に教わるために行った先で、真っ先に直球で「坪井さんの夢は何ですか」と問われました。うっ。一瞬、とまどったのを覚えています。もう何年、夢を明確に言葉にしていなかったでしょう。

夢は持つものではなく、なくさないものなんですね。

みなさんの夢は何ですか？　夢を語る時間がありますか。夢をなくしていない子どもは、叶えるために未来を使います。だから、死んではいられない。それが生きる力になります。

挑戦する力

生きる力の4つめは、挑戦する力です。ここからぐんとハードルが上がります。挑戦することそのものは難しくはないのですが、ちょっと周りを見渡してみてください。挑戦している人はどのくらいいますか。挑戦するハードルが高いのではなく、挑戦することそのものを実行している人がほとんどいないと思います。

特に進路を選ぶとき、とても力があり優秀な子が「行けそうなところ」を選ぶ様子を多く見てきました。「本当は何がやりたいの」と聞くと、とても苦しそうに「それを聞かないでくれ」という顔をします。「せっかく自分を納得させたのだから、余計なことを思い出させないで」と言わんばかりに。なぜ挑戦しないのか聞くと、答えはひとつです。「失敗するのが怖いから」です。

夢と同じで、挑戦する子どもも育てるのは厄介です（笑）。次から次へと、大人としてはやらないでほしいことを見つけてきては勝手に挑戦して、あとに残るのは破損、汚れ、謝罪、尻拭いなどなど、面倒なことばかりだからです。子どもの挑戦というのは、ほとんどすべて「大人としてはイヤなこと」です。でも、それを続けた子どもだけが、素晴らしい挑戦にたどり着きます。イヤな挑戦をさせずに、進路を決めるころに急に立派な挑戦だけするということはあり得ません。

挑戦する力をかき立てるのは、「挑戦を見つけてくる力」です。大人が都合よく用意してやらせたものでは、本当のチャレンジ精神は育ちません。これまで挙げた「意思」「夢」と密接に絡み、「やってみたい」と自ら設定したものでないと本当の挑戦にはならないんです。

失敗から立ち直る力

わたしたちが今便利に暮らしているのは、多くの発明家や研究家のおかげです。偉人たちが他の人と違ったのは頭脳ではなく、「しぶとさ」と言われますね。掃除機で有名なジェームズ・ダイソン氏は、大ヒット商品となったサイクロン式掃除機を完成させるまでに、15年間で5，127台の失敗作を作ったそうです。つまり、5，127回、失敗から立ち直ったということですね。「絶対にうまくいくはずだ」という信念を持ち続けたのだと思います。

「失敗から立ち直る力」は、何も発明家や研究家だけが必要とする力ではありません。それに、発明や実験をするときの失敗は単なる「事例」だから、もともと気にする必要はないのですが、生きているといろんな失敗がありますね。

特に人間関係の失敗やトラブルは、メンタルに大きな打撃を与えます。「立ち直る」と言ったって、立派に前向きな気持ちで成功に向かうということではなく、ただ時間をやり過ごし、振り返るとどうにかこうにか生きてきた、ということでもいいのです。

親として子どもにもっとも避けてほしいのは、立ち直れなくて絶望して死んでしまうことですよね。しかも、独り立ちしたあと、自分が見ていないところで「もしかして死んでしまうのではないか」と心配しながら過ごすのでは神経がすり減ってしまいます。

立派じゃなくていいから、「どうにかなった」という経験を重ね、絶望しなければよいのかなと思います。そのためには、発達に合わせて立ち直れる程度の小さな失敗を体験することが必要です。これがなかなか難しい世の中なんですよね。

自分を好きになる力

自分の意思で夢を持ち、学んで挑戦し、失敗しても立ち直ることのできる人に、何か行動を起こすときにどう思ったかと聞くと、同じ答えが返ってきます。それは、「きっとできると思った」ということです。でもおかしいのです。だって、知らないことでも、やったことのないことでも、「なんかできそうだと思った」と言うんです。いわゆる「根拠のない自信」ですね。「自分ならできる」という感覚を「自己効力感」といいます。

子育てをしていると「自己肯定感」という、ぼやっとした概念が重要だということをよく言われます。わたしは「うちの子、自己肯定感が低くて。どうしたらいいでしょう？」もしくは「わたし自身の自己肯定感が低いという自覚があります」という文脈でしか聞いたことがありません。そんなに「低い、低い」と嘆いて、じゃあいったいどうすればよいのか、よくわからないことで悩むくらいなら、一旦、忘れてみるのはどうでしょうか。

「自己効力感」は、子どもがもともと持っている力です。考えてみてください。寝返りを打とうと「よいっしょ、よいっしょ」と不器用に背中を動かす赤ちゃんが「無理かもしれない……、できる自信がない」と思っているでしょうか。手順を追ってわかりやすく寝返りを打つ方法を指導されたわけでも、「大丈夫、できる、できる！」と応援されたわけでもないのに、健気に「よいっしょ、よいっしょ」と動き、いつの間にかコロンと寝返りますよね。自己効力感って、そういうところからのスタートだと思うのです。

根拠はないけど、なんか自分ならできそうと思えるのは、自分を信じているからです。そうして、究極には、たとえできなくても自分が愛おしく、自分で自分を慰めたり励ましたりできる。それは、自分を好きでいる力を持っているからだと思います。自分のことが好きだと、自分を大切にすることができます。自分を尊重していると他人も尊重することができます。周囲の好意を素直に受け取り、感謝することもできます。感謝しながら生きていると、世の中は希望に満ち、生きる価値のある世界だと実感することができます。

以上が、わたしが提唱する「6つの生きる力」です。学校教育、日本社会での女性の在り方、周囲からのプレッシャーなど、お母さんが子育てに悩む背景には、個人ではどうしようもない問題がたくさんあります。そんな中で、悩みの種が起こるたびに心を消耗し、せっかくの子育てが苦行のようになってしまうのはとても辛いですよね。どうしたら悩みが解決するのか、そのたびにアドバイスを受けたりネットで調べたりしても、子どもの成長と共に、思いもよらない悩みは次から次へと発生して、キリがありません。

そこで、親は細かい問題をひとつひとつ解決するのではなく、どんな予想外のことが起きても、たくましく乗り越えて自分自身の人生を切り開けるように、子ども自身が「6つの生きる力」を身につけるのをサポートしましょう！
でも、一体、どうやって……？　次の章で考えてみます。

第5章 好きなことだけすればいい

ゴールは自立

思春期の子が親と話さなくなる理由

ミューレで2歳から見てきた子どもたちが「変わってきたな」と感じるのは、ちょうど10歳ころです。思春期に差し掛かるのですね。どう変わるかは子どもそれぞれですが、わかりやすい変化で言うと、大人に対する批判を口にするようになるのがこのころです。学校の先生や親に対して、不満や文句だけではなく、批判の口調が出始めます。つまり、それまでは自分の都合や好き嫌いだけでものを言っていたのが、理由を添えて、客観的に見ておかしいと思う、というような口調になるのです。親の価値観より自分の価値観を重視したくなるころなのではないかと思います。

思春期になったときに、いつまでも親の方が上で、子どもは何も知らないのだから教えなくてはという姿勢でいると、子どもとの会話がうまくいかなくなることがあります。「子どもが本音を言わない」「まじめな話し合いをしようとするとごまかして逃げる」「会話が続かない」などの悩みを聞き始めるのも、このころです。

あるとき、思春期の子どもたちにストレートに聞いてみました。なぜ、先生には真剣に上手に自分の考えを言えるのに、親に言えないのか、と。こんな答えが返ってきました。

・照れくさい（真剣に話す習慣がない）
・親の態度はゼロか１００かしかない（優しいか怒ってるか）
・言ってもしょうがない
・否定される

思い当たることが多い方もいらっしゃるのではないでしょうか。この話をしたとき、面白いことを言った子がいました。「このファッションどう？　と話しかけたときに、可もなく不可もなく、ごまかしたような反応をするのが嫌だ」と言うのです。これを深掘りしていくと、「その裏に〝もっと子どもらしい服や、おかしくない服を着てよ〟という意図を感じる」とのことでした。ではどう言ってほしいかというと、真正面から「うわ！　変なの！」って言ってほしいそうなんです。そうすれば、「ママにはわからないよ！」「今はこれが流行ってるの！」など反論ができるから、と言います。まさに価値観のぶつかり合いです。何もすべてに共感してほしいと思っているわけではないのです。ちゃんと価値観と価値観で会話をしたいと願っているんですね。

話し終わったとき、子どもたちは「なんかこういう時間よかった。また話してください。今のまとめて、本にしてください」と言っていました。子どもたちは、自分の考えや価値観を尊重してほしいと願っています。

一方、思春期の子どもを持つお母さんに、「何をもって、いつまでも子どもより自分の方が上（評価する側）と思えてるんでしょう？　もしくはそんなつもりはないのに評価してるのでしょうか？」と質問したことがあります。すると、「考えたこともなかった！」

という答えが返ってきました。つまり、上から目線のつもりも評価しているつもりもなかった、親が子どもを管理し、教えるのは当たり前だと思っていたとのことなんですね。これを読んだみなさんは、ぜひ、「我が子が10歳になったら、子どもの価値観を尊重しよう」と思ってください。

自立って何？

教室で出会ったお母さんたちに「なぜいつも子育てにモヤモヤしているの」と聞くと、ひとつの答えが返ってきました。「何に向かって育てればいいのかわからない」ということです。自分のやり方が正しいのか、いつも不安だというのです。子育ての答え合わせをする日なんて来ないのですが、ゴールははっきりしています。それは「子どもが自立をする」ということです。

「自立って何でしょうか。具体的に言葉にしてみてください」こう質問すると、さまざまな答えが返ってきます。

・自分のお金で生活すること
・ひとり暮らしすること
・働くこと
・自分で家事をやること

これらは「自活」といいます。わたしは「自立とは自分の価値観で生きていくこと」と考えています。

価値観の交代

次の図1は、わたしが最初に考えた自立のプロセスを図で表したものです。

０歳で生まれたときは、１００％親の価値観で育てられています。衣食住に関しては、ほぼ親に依存している状態です。母乳かミルクか、布おむつか紙おむつか、離乳食は手作りかなど、人それぞれのこだわりや価値観で赤ちゃんのお世話をします。赤ちゃんは泣いたり笑ったりして「それは好き、これは嫌い」と自分の意思を伝えようとします。「じっと上を見たまま寝てなさい！」と言ったって、好奇心があればキョロキョロするし、手や足をバタバタと動かします。何もしゃべらなくても、親とは違う価値観を、もう少しずつ作り始めているんですね。

多くのお父さんお母さんは、自立を18歳に設定したとすると、それまでにさまざまなことが心配なくできるようにしつけ、「よし！　これで自活でき

図1　自立のプロセス

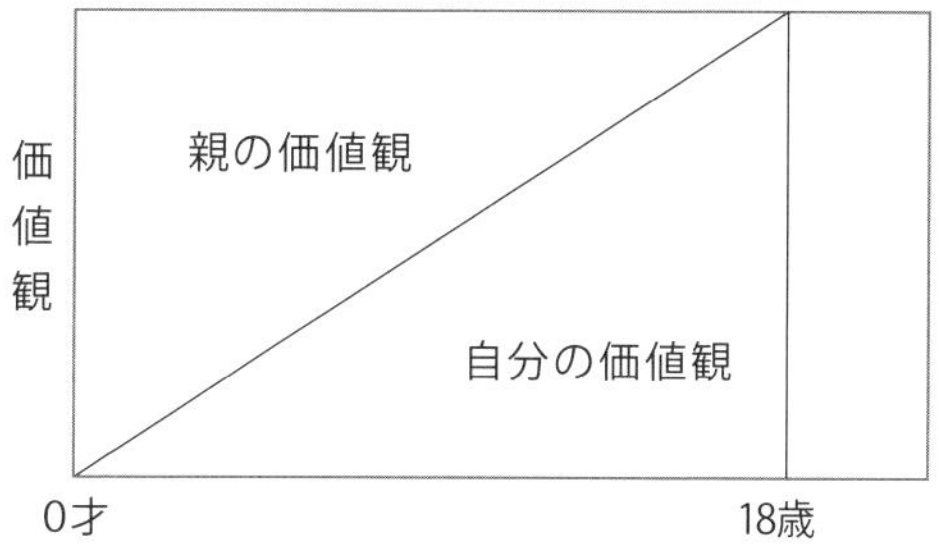

る！」という確信を持って家から出したいと考えているように思います。けれど、わたしがミューレで接している子どもたちは、もっともっと小さなうちから「自分なりの生き方で生きてみたい」と考えています。親が言うより下手かもしれない、失敗もするかもしれない。でも生まれた日から、人は本能的に自分らしく生きていこうとしている。少なくともわたしはそのつもりで子どもたちと接しています。

だから「親の言うことを聞きなさい」と言ったことはありません。「あなたはどう考えているの。それについて、親はどう言っているの」という聞き方をします。すると、4歳でも5歳でも、自分なりの考えを伝えようとします。わたしが「こうしなさい」と指導しているのではなく、ただ、子どもの内にある考えを言葉にするきっかけをあげているだけです。答えることによって、子どもは「自分のことを聞いてくれた」と嬉しそうにしますし、考えを言葉にする練習になります。

子ども自身の考えを聞いてあげると、徐々に親の価値観に従うことから自分の価値観で生きていくことへ交代しようとしていることがわかります。

15歳からは自立の仮免許運転

わたしは我が子を育てて自立させてみて、子どもの自立のプロセスを図2のように考えるようになりました。

自立しようとして自分の価値観を模索している子どもは、15歳で高校に入るころにはすべてを自分の考えで試してみたいと考えているように思います。ですが、まだ初心者なので、親のフォローが要ることがあります。それまでやらせていないのに、とにかく自分のやり方を教え込んで言う通りにやらせていると、18歳で突然「やれるものならやってごらん」と突き放し、失敗した姿を見て「ほ

図2　自立のプロセス

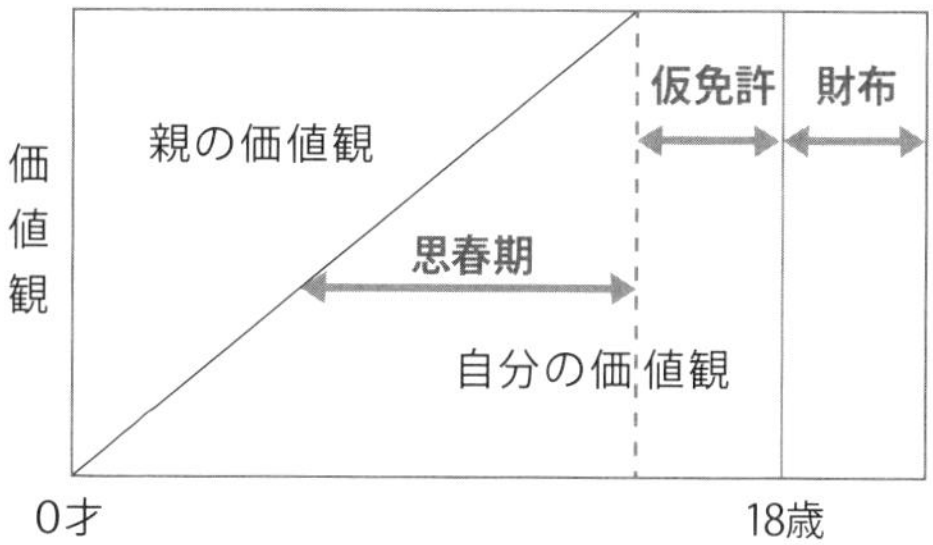

ら見たことか！　親の言う通りにやらないからそんなことになるんだ」と1回めでダメ出しをしてしまいます。それでは子どもはやる気を失います。

そこで、15歳でまだ親元にいるうちに、基本的には子どもの考えで何でもやらせてみます。失敗したら叱るのではなく、「失敗したら助けてあげるから、自分の思ったようにやってごらん」とフォローするのです。わたしはこの期間を「自立の仮免許運転」と呼んでいます。仮免許運転させてみると、いきなり突き放すよりずっと、「思ったよりよく考えて、よくやってるな」と感心します。失敗すると「あぁ、そうか、こういうことは知らなかったのか」とわかります。それを3年間も続けると、18歳で実際に家を出るころには「もう大丈夫、ひとりで出てごらん」と心から旅立ちを見送ることができると思うのです。

こうして晴れて完全に価値観を交代し、仮免許運転も終えた子どもが18歳になっても、進学するとまだ経済的な自立はしていないことがありますね。わたしは、この期間の親を「財布」と呼んでいます。ただただ財布を開けるだけの役割で、それを活かすも殺すも子どもの自由。「親が払っているのだからちゃんとしなさい！」なんて管理するのは、まだまだ価値観の交代が終わっていません。それに、価値観を尊重されて自立した子は、そんなことをわざわざ言わなくてもちゃんとわかっていますよ。

好きなことだけすればいい

では、子どもを自立させるために親は何をすればよいのでしょうか。

それは、「子どもの好きなことだけを夢中でやらせること」です。これだけやらせておけば、子どもが勝手に生きる力を身につけて育ちます。もともと、６つの生きる力のほとんどは、生まれ持っているものです。むしろ育っていく過程で、少しずつなくしてしまうことが問題なんですね。だから、親は「こうしなくてはいけない」と焦るのではなく、子どもが持って生まれた生きる力を信じて、できるだけ元々持っている性質を削がない、好奇心の邪魔をしないことだと思います。

2歳で好きなことが分かれる

ミューレに通う子どもたちを観察していると、2歳のころには面白いほど特徴が分かれます。

教室は南面が天井まで全部窓になっていて、国道に面しています。近くに消防署や病院、資材置き場などがあります。すると、救急車や消防車、大きなトラックなど、いろんな車が通ります。レッスンそっちのけでジーッと見ている子がいます。連れてきたお母さんから、うんざりした顔で「先生、この窓から外が見えないようにカーテンを引いてもらえま

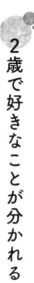

せんか」と言われたことがあります。駆け出し先生のころは、「そうだよな、なるべく子どもが集中できる環境を作らなくては」と思い、カーテンを引こうと考えたこともありました。

けれど、夢中で車を見ているのは全員ではないのです。15人のクラスでひとりかふたりです。これはこの子の特徴で、きっとカーテンを引くのがよい対応ではないだろうと考えました。

ある子はスピーカーや音響機器のボタンが大好きで、触りに来るのを楽しみにしていました。ある子は待合室の絵本を何冊も読まないと帰ろうとしませんでした。ある子はわたしがピアノを弾く手元をじーっと見ていました。ある子は壁に片手をつけ、教室をぐるぐると何周も歩くことにハマっていました。ある子はお絵描きが大好きで、クレヨンを離しませんでした。

2歳のコウキくんは、虫が大好きな子でした。わたしがレッスンで「ピクニックに行って、りすさんとあそびましょう」などと設定を伝えると、「そこにツマグロオオヨコバイがいることにしよう！」と自分が立てたプランをいつも提案してくれました。わたしもできるだけ採用してあげようと思っていましたが、あまりに詳しすぎて、名前を復唱するのもたいへんなほどでした。この子はその後、魚、生き物全般、電気製品の分解、電子工作、音響機器、電子楽器などと興味がどんどん移っていきました。けれど、「これに飽きたから次！」というわけではなく、ひとつのものに夢中になっているうちにそこから派生したものに興味が移っていくという感じでした。わたしはてっきり、お父さんかお母さんが生き物や電子工作などに詳しいから導いているのだと思っていたのですが、聞くとそうではなく、コウキくんが望むように材料を用意してあげたり、必要な場所へ連れて行ったりしているだけ、とのことでした。

観察をしていると、どの子も2歳には「この子はこれが好きね」ということがはっきりと表れています。

「好き」は生きるエネルギー

なぜ好きなものだけ応援すればよいかというと、「好き」は生きるエネルギーになるからです。みなさんもそうではないでしょうか。落ち込むことがあったとき、好きなものに囲まれたり、好きなことに没頭したり、好きなアーティストのコンサートに行ったり、好きなものを食べたりすると、幸福感に満たされ、気力が湧いてくる感じがしませんか。

わたしが「子育ては、ただ子どもが好きなものを応援していればいいんだよ」と言うのは、それがエネルギーの源だからです。コウキくんのように自然ななりゆきで移りゆくこともちろんありますが、その都度その都度、好きなものを応援すると、多くの方が願ってやまない「自己肯定感」が高まります。好きなことをやっているだけでも幸せなのに、それを大好きな親が無条件に応援してくれる。こんなに自分の存在価値を実感することはありません。

「好き」は教科も職業も関係ない

わたしはよくお父さんお母さんに「好きなものだけ応援していると、子どもはその道で勝手に夢を見つけ、勝手に努力して伸びていく」とお伝えしています。すると、「こんなことが好きでも食ってはいけない」とか「このことを学べる大学なんかない」など、すぐに職業や教科に結びつけて取捨選択されてしまうことが多くあります。

「好きなもの」がそのまま大学の学部や仕事につながる人はまれで、わたしは2歳からそこまで見据えてジャンル分けすることをおすすめしているのではないんです。ただとにかく目の前の好きな想いを応援していれば、子ども自身がやる気を持って情報を集め、何かにつながっていきます。それより問題は、大人が最初から職業か教科につなげようとして、つながらないものは排除してしまっていることです。好きなことを応援されると自己肯定感が高まるのとは逆に、好きなことを否定されると、自己肯定感はどんどん下がっていきます。

子どもたちが親から言われた言葉のうち、聞いてもっとも胸が痛んだのは、「それ、なんの意味があるの？」というものです。こんなに人を否定する言葉はないと思いました。未来も希望もある子がかわいそうで、言葉が出ませんでした。親から見て意味のないことを一生懸命やっているうちに、いつの間にか親が望む「意味のあること」につながることがあるのであって、「好き」を一蹴してしまうとその可能性はなくなってしまうのです。子どもがやる気と自信を失うからです。

１２４ページで紹介した虫が大好きだったコウキくんは、中学1年の今年、わたしがX（元 Twitter）に記事を投稿してちょっとした話題になり、ネット記事にもなりました。『先生「意味が分かんないです」…シンセサイザーを設計してしまった中学1年生が話題に』（9月27日配信　まいどなニュース）。

コウキくんが小学校上級生のころ、教室の壊れた備品を「分解してみる？」と声をかけたのがきっかけで、一時期クラスで分解がブームになりました。わたしは、元勤めていた楽器メーカー、ローランド（株）のエンジニアさんから電子工作キットを紹介してもらい、ついでに子どもたちに教えに来てもらいました。コウキくんは、何名かの友だちと協力して、クラウドファウンディングで資金を集め、「電子工作講座」を開きました。クラ・ファンのサイトの作成、資金を募る動画撮影、受付から運営まで、子どもたちで実行しました。ご両親はいつも協力的で、かつ余計な口出しも手出しもしませんでした。

「シンセサイザーを作りたい」という話は聞いていましたが、将来の夢を語っているのだとばかり思っていました。ある日、「ローランドのエンジニアさんに聞きたいことがあるから、時間を作ってください」と頼まれたので、セッティングだけしました。何を聞くのかは知りませんでした。そうしたら、ネット記事にもなった手書きのシンセの回路図を広げて質問を始めたのです！　驚いて写真を撮って投稿した、というわけです。

コウキくんがバズって、教室の仲間は大喜びしました。誰もがコウキくんのこれまでの軌跡を知っているので、「当然だ」という誇らしそうな顔つきでしたよ。

好きなことの行き着く先

子どもは違う時代を生きる若者

そもそも、親が知っている職業や進路なんて、今どのくらい残っているでしょうか。大学の学部名は大きく変化して多岐に渡っているし、インターネットの発展により、新しい職業がどんどんできています。Instagram や YouTube の投稿が上手な子は、マーケティングではひっぱりだこでしょう。逆に昔は稼げていた職業や役に立っていた資格が今はなくなってしまっていることもあります。

子どもは、親とは違う新しい時代を生きる若者になります。親の価値観で有益無益を判断してしまうのはもったいないです。評価したりアドバイスしたりせず、「何でもできるよ」「素晴らしいね」「そのままやっていったらいいよ」と、ただ感心し続ければ、思いもよらない職に就くこともあるかもしれません。何より、未来は子どもたちのものです。親が限定してしまうのは人権の侵害だと思います。

好きの先は子どもが決める

子どもが好きなことを夢中でやっているとき、「これが何につながるのか」を考える必要はありません。なぜなら、それは子どもが考えるからです。好きなものを夢中でやっていると、情報が集まります。その先にどんなすごい人がいて、その人が何をやっていて、どんな職業があるのか、親よりずっと専門的な知識を身につけます。

教室の子どもたちの話を聞いていると、好きなことに関して、わたしよりもずっと多くのことを知っているなと感じるのは、中学生になったころです。わたしはよく子どもたちに質問をします。子どもが知らないことは「調べておいてくれる？」とお願いすると喜んで調べてくれます。ときには教室の備品選定を中学生がやってくれることもあります。今はインターネットがありますし、子どもの方が時間がたっぷりあるから、よく比較検討してくれて、わかりやすく説明してくれます。

わたしの息子たちはそれぞれ、情報学部と美大へ進学しました。ここまではわたしも理解できますが、その先でどんな研究テーマに細分化されるのか、美大にどんな学部があるのか、まったく知りませんでした。それは子どもたちの方がずっと詳しく調べて決定しました。好きを追求した子どもたちは、高校卒業のころには親よりもずっと専門知識が身についています。「すごいね」と感心したり、質問して教えてもらったりすると、より深く情報を探ります。

親の時代の感覚で教えようとしないことだと思います。

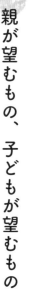

親が望むもの、子どもが望むもの

親が子どもの「好き」を否定したり変えさせようとしたり認めようとしなかったりするのは、意地悪をして子どもを痛めつけるためではありませんよね。むしろその逆。子どものためを思ってのことだと思います。

親が子どもに与えたいと望むものは、「安定」です。安定って何でしょうか。それぞれ設定は違うと思いますが、多くの場合は「いい学校に入っていい会社に就職して、正社員になって、安定した給料をもらって、定年まで仕事が無くならない」ということではないでしょうか。こうしてはっきり言葉にすると、「いや〜、今、どの会社に入ったって、安定しているかどうかなんてわからないな」と自分で気づいてくださる方もいらっしゃいます。また、「そう言われると、別にそれがいいと思っているわけでもありませんでした」とも言われます。または、やはり「大きな会社で終身雇用されるのが幸せ」という方もいます。

わたしは、安定を望んで生きている子どもはいないと思っています。周りの大人の影響で、「安定こそ幸せ」と刷り込まれてしまうことはあっても、少なくとも高校生くらいまでは「安定」を望んでいる子はめったにいません。どんな子どもも望んでいることは、「自分らしく生きる」ということです。

親が望むのは「安定」、子どもが望むのは「自分らしさ」。ここが違うから、「よかれと思って」というアドバイスが子どもにとっては「反対」「否定」に聞こえてしまうんですね。そして、優等生の子ほど、就職するころに「自分らしさ」と「安定」の間で苦しんでいるように見えます。そのころには親が「好きにしたらいいよ」と言っていても、です。

２歳には表出する「子どもの好きなもの」をとことん応援してあげてください。そうすれば、子どもは生きる力を自ら身につけ、どんどん勝手に伸びます。18歳になるころには、親が感心するくらい、しっかりと自分の人生を選択して前進するようになります。どの子もです。

坪井佳織＠社長|リトミックの先...
@nerio_mulee
田舎のしがないリトミック教室なんですが、中1生徒が勝手にシンセを設計し始めてて、意味が分かんないです。
#音楽教室ミューレ
21:55 · 2023/09/18 場所: Earth · **64.2万**回表示

▲127ページで書いた、X(元Twitter)の投稿です。

第6章

生きる力とは死なないこと

出産——生命を育むということ

わたしは3人の子どもを産みました。次男と三男は双子でした。ここでは、わたしの教育観を形成する上で重要な我が子の子育てについて少し思い出を語ってみます。

赤ちゃんは回転して生まれてきます

わたしは出産の1週間前まで会社で働いていました。出産について、本当に何も知らない母親でした。予定日の1週間前についに会社を辞めましたが、あまりにも準備をしていなさ過ぎて、何をすればよいのかわからず、一日中ファミコンゲームをやっていました。出産について唯一学んだ場は、産院で開かれていた母親学級でした。何を聞いても実感が

なく、どうやって産んだらいいのか不安にかられていたとき、助産師さんの言った言葉に衝撃を受けました。それは、

「赤ちゃんは、回転して生まれてきます」

というものです。そうか、わたしは「自分が産む＝赤ちゃんは産んでもらう」と思って不安にかられていたけど、赤ちゃんが自ら「生まれる」んだ！　しかも自分で回転するんだ！　教えてもいないことができるなんて、なんて素晴らしいんだろう。赤ちゃんはすごい!!　と感動しました。もうこの時点から、「赤ちゃんの方が、頭でっかちのわたしより生命の本質がわかってる。わたしはなるべく邪魔をしないようにしよう」と、生まれてもいない息子を尊重する気持ちが始まっていたと思います。赤ちゃんが「自らの意思を持って、自分で生まれる」というのは、それほど衝撃的な発見でした。

「ついに死ねるようになってしまった」

このギョッとするセリフは、長男がわたしの体から離れた瞬間、つまり、生まれた瞬間に思ったことです。これまではわたしのお腹の中にいて、わたしが気をつけていれば完全に長男の命をコントロールすることができていました。けれど、ついにわたしの体から離れ、ひとりの人として外の世界に出てしまいました。これからは長男の意思で「死のう」と決意することもできます。わたしとは完全に別な人間になってしまったのですから。もう自分の意思で死ねるんだ……。死なないでほしい。運命で死が訪れるまで、生き抜いてほしい。出産した瞬間、強く強く思ったのです。

「少なくとも自分の意思で死を選ばないでほしい。そのためにはどう育てたらいいんだろう」

これがわたしの教育方針の出発点でした。

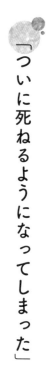

退院してから、「そういえば、お世話の仕方をまったく知らないな、わたし」と思い、慌てて本屋さんで育児雑誌を数冊買ってみました。そこには、わたしとは全然違う、お化粧ばっちりで、おしゃれな育児グッズを使って、楽しみながら育てている、すてきなママたちの姿がありました。育児のコツだといって、いろいろな記事がありましたが、わたしは、「どれもおままごとみたいだな」と思いました。いえ、軽蔑してではなく、単純に「こんなおままごとみたいな育て方で、人格が育っていくのか！」と驚いたのです。

同じころ、ポストにビデオ教材入り月刊誌のサンプルが届きます。そこには、まるで予言のように、これから起こるであろう心配ごと、わたしが悩むであろうことがマンガでわかりやすく説明されていました。そして、どうすればいいのかも書いてありました。なんだか違和感がありました。でも、その違和感が何なのかわかりませんでした。ただ、「本当にこんな風にして育てていいのか」という思いが残りました。

子どもはいずれ、自分でご飯を食べ、自分で排泄し、自分で寝るようになります。叱って言うことを聞く年齢もいつか終わります。何もかも親に許可を得たり話したりする年齢も終わります。友だちとケンカしたり、悪口を言い合ったりします。タバコを吸ってみるかもしれないし、万引きするかもしれません。ＳＮＳに何を書き込むか、何時までスマホをいじっているか、叱ったりチェックしたりして言うことを聞かせられる年齢もいつか終わります。

そんなとき、何が支えとなって、我が子を信じることができるでしょうか。マニュアルとノウハウ中心の子育て本は、「死なないでほしい」と切実に思っているわたしにとって、どれもがあまりにも軽い教育観に見えました。

双子の三男が死んだ

さて、わたしは、長男と1歳10ヶ月下の双子の兄弟、合わせて3人の子を生みました。赤ちゃん3人の育児には、どんなマニュアルも通用しませんでした。3人が同時に嘔吐下痢になったときなんか、ひとりのオムツを替えているときにひとりが触りにくるのを足で押さえ、汚れたシーツを洗濯機に入れている間に、ひとりがカーテンに向かって嘔吐。笑うしかありませんでした。

そんな毎日でしたから、マニュアルで「良い」とされていることなんか、何ひとつしてあげられませんでした。求められているときに、満足いくまで抱っこしてあげられたことは、一度もありませんでした。だいたい、添い寝だって両脇に２人。ひとりは絶対に余るわけですから。そんな風に壮絶ではありましたが、子どもたちはどの子も可愛くて可愛くて、３人の赤ちゃんがワラワラとリビングでうごめく様子を幸せに眺めていました。

そんな中、双子が１歳５ヶ月になった日に、三男が乳幼児突然死症候群（SIDS）という病気で、何の前触れもなく、眠っている間に静かに亡くなりました。

その日からわたしの地獄が始まりました。「あなたなら耐えられると選ばれて、この子のお母さんになったのよ」「残った子どもたちのためにがんばって」など、わたしを思ってかけられた言葉のすべてを拒否して、一歩も前に進めない日々をなんとかやり過ごしていました。食べられない、眠れない。どんどん痩せて、肺炎をこじらせて血を吐きました。内科で「健康な成人女性がかかる肺炎ではありません。何かありましたか」と言われ、診察室で崩れ落ちて泣きました。こんなになってもまだ、なぜわたしは狂えないのか、生きていなくてはならないのなら、いっそ何もわからなくなって、管を通してただ生かしてくれ、と思いました。

最後の2週間

亡くなる2週間前、三男は、高熱のため1週間ほど入院をしました。遠方に住む母に応援を頼み、わたしは病院でずっとつき添っていました。三男ひとりのために絵本を読み、子守唄を歌い、隣でご飯を食べ、いっしょに寝る。本当に幸せな1週間でした。あれは、神様が最後に与えてくれた、お別れの時間だったと思います。

何もしてあげられなかったダメな母でしたが、唯一、「ものすごく可愛がった」ということ、そして、その気持ちを伝え切ったということには、後悔がありません。少しばかり成長の遅かった三男でしたが、わたしは「0歳でも別な人格だ」ということを強く思っていましたから、誰とも比べることなく（双子の次男とも比べていませんでした）、彼なりの人生を思う存分好きなように送らせてあげました。

だから、短い一生を、彼らしく生き抜いて、ありのままの自分を母から愛されて、1歳

5ヶ月までにやり残したことはないだろうと思うのです。「乗り切った」なんていう立派なことはありませんが、それだけを支えに、なんとか今日まで生きてきたと思います。

もしわたしが、子育てマニュアルに従って三男を育てていたら、三男が何を感じていたのかまったくわからず、今でも後悔していると思います。そもそも、マニュアルに当てはまらないことだらけでしたから、イライラとして、可愛がる気持ちを伝える余裕はなかったと思います。

当時のわたしは、まさか自分の身にこのようなことが起こるとは想像もしていませんでした。だから、みなさんも、ほんの少し、想像力を働かせてみてほしいと思います。「もし、この子が今晩亡くなってしまっても、後悔しないくらいの愛情を伝えたかどうか」ということを。「与えたか」ではありません。「伝えたか」です。「誰とも比べない、この子だけの人生を送らせてやったかどうか」。それが「可愛がる」ということだと、わたしは思います。

好きなことを応援した子育て

さてさて、長男と次男、なかなかなやんちゃ坊主ふたりの成長について思い出してみます。

「これ、何が入ってるんダロー？」

長男が2歳のころだったと思います。保育園にお迎えに行くと、先生方に「ちょっと、ちょっと！　お母さん、来て！」と呼ばれました。「正ちゃんね、今日、一日中、このマラカスを振っていたんですよ。それでわたしたち、あぁ、お母さんが音楽の先生だからね、正ちゃんも楽器に興味があるのね、って見ていたんですよ。そうしたら、さっき、『これ、何が入ってるんダロー？』って！　笑っちゃいました」とのことでした。

それでわたしは、「あぁ、この子は物理が好きになるかもな」と思いました。こんなに小さいのに、目に見えない中身に興味を持ち、どうなっているのか仕組みに思いを馳せるなんて、すごいなと思いました。それから理科に関係するものをどんどん与えてみました。予想通り、科学館には朝から晩までいてもまだ飽きないほど関心を示しました。浜松の科学館は行き飽きて、静岡市まで何度も行きました。同時に、字が読めるようになってからの読書量がものすごかったので、「この子は頭がいいんだろうな」と思いました。かといって、急いで何かを教え込むことはしませんでした。遊ぶことと体験することを大切にしました。

ならいごとはじっくり探して検討し、小2で初めて理科の実験教室に入れました。選んだポイントは、どんな経験を積んだ先生かということです。学校の宿題では書き取りが徹底的に嫌いで、漢字も書けませんでした。記憶スケッチで書いた象形文字のような謎の記号を書いていました（笑）。

小学5年生のときに、静岡大学で行われている「ダヴィンチキッズプロジェクト」に応募しました。これは、理系科目に興味のある小学生を集め、月に一度、大学の施設で大学の教授から学べる、国が主催する教育プログラムです。応募には「科学に関する最近のニュースのうち、興味のあるものを挙げ、感想を書く」という直筆必須の項目がありました。ぜんぶひらがなでしたが、自分の考えが論理的に述べられていました。自宅から静岡大学まで、バス、電車、バスで2時間の道のりをひとりで通いました。実験教室もプロジェクトも、どちらも一度も嫌がることはありませんでした。

中学を卒業するころの長男の成績は、オール3に満たないくらいでした。宿題もやらないし、テストの点数も悪かったです。ガンプラに夢中でしたので、マニアな店に連れて行ってていくつも買ってやりました。

「この子は絵が好きなんじゃないかな」

次男の子育てには苦労しました。生まれるなり、三男に手がかかり、次男はいつも待たされていました。ふたり一緒に入院したとき、三男があまりに泣くので、泣いていた次男がチラッと三男を見て、「これは無理だ、抱っこしてもらえない」と悟ったのか、泣き止むのを見ました。せつない瞬間でした。三男が亡くなったころには、すっかりサイレントベイビーに近かったと思います。表情が乏しく、わがままを言うことも、理不尽な主張をするイヤイヤ期もありませんでした。

わたしは「好きなことが生きるエネルギーになる」と思っていましたので、この子の特徴、この子の好きなものを必死で探していました。ある日、これも2歳だったと思いますが、保育園の先生が面談で「この子は絵が好きなんじゃないかなぁ」と教えてくれました。お絵描きのとき、黒いクレヨンを持って迷いもなく一気に描き上げたそうです。あまりに早く終わってしまったので、先生が「色を塗ったら?」と言うと、しばらく自分の絵を見つめ、「これでいい!」ときっぱり言ったそうなのです。そのことを重視して、「絵が好きなんじゃないかなぁ?」とお伝えくださった保育園の先生は本当にすごいです。

そこから先は、「絵が好きだよね!?」とわたしが半分あおるように育てました。たくさんの画材を用意し、何より優先しました。そのおかげか、描いてほしくないところにまでたくさんの落書きをしてくれました（笑）。

小学1年生のときには学校の先生も友だちも「しんちゃんは絵が上手」と一目置くようになっていました。自由に絵を描く様子をじっくり観察しながら、何年もかけて絵画教室をまわり、歩いて行ける距離の教室に小3から通わせました。高校を卒業するまで、10年間通い続けました。辞めたいと言うことは一度もありませんでした。

この子も長男と同じように、宿題をやらず、勉強をサボるための悪知恵を働かせる子どもでした。同じく中学の成績はオール3。まぁ、何もやらずにオール3ですから、生きていくには充分です。

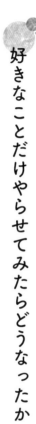

好きなことだけやらせてみたらどうなったか

自分の子ですから、自分の責任において、好きなことだけを存分にやらせることができました。今だから白状しますが、各自の好きなことを優先するために、宿題や学校生活を適当にごまかす手伝いをしたことも何度もありました。やっていないのに「やりました」と親のサインをしたり、ズル休みとわかっていて学校に連絡するとき、「頭痛、腹痛、発熱、どれにしとく？」と聞いたりしました。

好きなことだけやらせた結果、ふたりはどうなったでしょう。

長男はガンプラ好きが高じて、バンダイか任天堂に入りたいと考えるようになりました。会社のことを調べたところ、エンジニア社員さんたちの多くが、旧帝大と言われる大学卒であることがわかったそうです（わたしは確認していないので、事実ではないかもしれません）。それで、高校に入ってからすごい勢いで勉強し、名古屋大学情報学部コンピュータ科学科へ進学しました。現在は大学院2年生です。好きなところに住み、好きな働き方で、好きに生きていくと思います。プログラミングは、趣味でもやるくらい、本当に好きなようです。

次男は『少年ジャンプ』の漫画家を目指していました。高校生のころにはおしゃれに目覚め、「パナソニックに入社して美容家電をデザインしたい」と、急に具体的な夢を定めました。そこから逆算し、多摩美術大学生産デザイン学科プロダクトデザイン専攻に進学しました。2023年現在、パナソニック株式会社の美容家電を作っている部署へデザイナーとして入社が決まっています。粘り勝ちで夢を叶えました。

親のわたしから見て、ふたりとも、特別に高いスキルや才能を持っているタイプではないと思います。大学に入って、「お化けみたいにすごいやつがいっぱいいる」と言っていました。それぞれ、ものすごく努力して入った大学なので、尊敬する教授や先輩、友人に刺激を受け、モチベーションを上げることができていました。環境が引っ張り上げてくれたところもあったと思います。「好きだから継続した」ということが、スキルと才能を補強したと思います。

では、何が優れていたかというと、「自分の天性と未熟さを知っていること」と「挑戦と努力で自分ならできると信じていること」です。具体的には、「目標を定め、逆算してプロセスを計画し、軌道修正しながら期限までにひとつひとつ実行すること」がとても上手でした。根気とメンタルの強さもありました。性格のまったく違うふたりがふたりともそうなので、これは後天的な教育で身につけることができると確信しています。生まれたときから自立まで、一貫して教育を施すことができるのは親だけなので、鍵を握っているのは親の考え方だろうと思います。

子育てを終えてみて

わたしの子どもたちは成人し、今年でついに学費納入も終了します。子育ての終わりです。今のわたしの気持ちは、「あー楽しかった！　終わった、終わった!!」です。もう今は、息子たちがどこで何をしていても「へぇ～」と無責任に楽しく聞いています。

自分の子育てを振り返ると、乳児期は本当に愛情たっぷりに可愛がりました。幼少期から思春期は鬼お母さん。高校以降は、推しを全力で応援するオタク。今は、少しでも会いたいがために何でも買ってやり、何でもやってやる、ダメお母さん。順番が逆じゃなくて本当によかったです。

ちゃんとできなかったことは山のようにあります。正しくもなかったでしょう。でも、まぁ、人間らしく感情を動かし、自分なりに精一杯やりました。答え合わせと続きは子どもたちが仕上げる番です。わたしの役目はここまで。未完成ですが、それでいいと思っています。子どもたちの人生の主役は子どもたち自身ですから。

わたしは脇役として、充分、楽しませてもらいました。自分に助演女優賞をあげたい気持ちです。

おわりに

最後までお読みくださり、ありがとうございます。わたしは、20年間、年間100人以上が通う音楽教室でリトミックを教えてきました。出会った親子はのべ1万組以上です。子育ての正解を知っているわけではありませんが、「たくさんの親子の子育てを長い期間見つめてきた」という経験は、だれにでもあるものではないと思います。

子どもたちが抱えるよいことも悪いことも、根っこは幼少期にあります。子どもにとって辛い接し方をしたとしても、幼少期に問題が出ている子はほとんどいません。問題が出ていたとしても、わかりやすく「荒れる」程度です。問題が表出するのは10歳以降です。問題の根っこが幼少期にあることは本人もわかっていませんから、とても複雑になっています。

子どもはびっくりするくらい、親に気を遣っています。ゆるぎない無償の愛を与えているのは子どもの方です。どんなことも許し、受け入れています。子どもの本質は小さいころから変わりません。変わるのは「親の見方」です。子どもが親に求めるたったひとつのことは、「自分を理解してほしい」ということです。

この本は、「自分らしく生きたい」と願いながら、その思いをうまく親に伝えることのできない子どもたちに代わって、書きました。必要としている親子に届き、ひとりでも多くの子どもが生き生きのびのびと生きる力を身につけ、これからの日本を引っ張る人材に育つことを願っています。20年間のキャリアがあるわたしより、子どもを簡単に高く伸ばせる人材育成のチーフトレーナーは親です。だれでも「子どもを伸ばす親」になれます。

わたしは20年間ずっと「好きなことだけやらせて応援すれば子どもは伸びる」と主張し続けてきました。ですが、「先生の言っていることは分かるが、そう理想通りにはいかない」と、実行してくださる保護者さんは多くはなかったのです。我が子はその実践例でしたが、「それは先生のお子さんだから」と別もの扱いされてしまっていました。

第5章でご紹介したコウキくんのご両親は、何につながるかも分からないことをとことん応援され、協力してくださったので、どんどん伸びていき、ついに実例としてご紹介できるようになって、とても嬉しいです。まだ中学生ですから、一時的なフィーバーで終わらせず、これからも慎重に育む必要があります。

また、コウキくん以外にも、周囲の大人の応援をいただいて伸びている子がたくさんいます。いずれにしても、好きなことだけをやらせれば、どの子もコウキくんのように伸びる可能性があります。


ご縁をつないでくれた『ようこそ！　子育てキッチンへ』（みらいパブリッシング）著者で「こどもカフェ」主宰の村上三保子さん、くじけそうになったわたしを励ましながら伴走してくださった、みらいパブリッシングのみなさまのおかげで、「本を書いて出版したい」という子どものころからの夢が叶いました。ありがとうございました。

執筆で徹夜したわたしのために、午前中のスケジュールを空けて眠らせてくれた、音楽教室ミューレのスタッフ、健太さん、華子さん、優子さん、ちはる先生、みゆうちゃん、ありがとう。数多くの事例を提供してくれた、音楽教室ミューレの子どもたちとお父さんお母さん、「生きる力をつける親の会」で率直な気持ちを教えてくださった全国のお母さんたち、みなさまのおかげで、真実味を持ってわたしの主張をお読みいただけることと思います。

最後に、正ちゃん、進ちゃん、きぃちゃん。お母さんを鍛えてくれてありがとう。君たちのことは、お母さんの視点で書いたことだから、まぁ気にせずに、好きに暮らしてください。

みんなみんな、自由に自分らしく！

坪井佳織

坪井佳織（つぼい　かおり）

静岡県浜松市在住。子どものための教育活動家。ダルクローズ・リトミック国際免許サーティフィケート。「音楽教室ミューレ」主宰。

出産を機にローランド（株）を退職後、2003 年、浜松市にリトミックや歌、英語などを教える「音楽教室ミューレ」を開校。「子どもに生きる力をつける教室」として口コミが広まり、出会った親子はのべ1万組を超える。2017 年、教室の親子に寄り添った経験を元に、「生きる力をつける親の会」を立ち上げ、全国の親を対象に子どもを伸ばす教育について説いている。note の有料マガジン購読者は数百名にのぼり、講演会依頼も多数。

活動一覧はこちら
https://lit.link/kaoritsuboi

生きる力をつける親の会（LINE オープンチャット）はどなたでも匿名で参加できます。

X（旧Twitter）はこちら
https://twitter.com/nerio_mulee

好《す》きなことだけすれば
子《こ》どもは伸《の》びる

2023年11月20日 初版第1刷

著　者　坪《つぼ》井《い》佳《か》織《おり》
発行人　松崎義行
発　行　みらいパブリッシング
〒166-0003 東京都杉並区高円寺南4-26-12 福丸ビル6F
TEL 03-5913-8611　FAX 03-5913-8011
https://miraipub.jp　mail:info@miraipub.jp
編　集　小根山友紀子
ブックデザイン　志賀幸
発　売　星雲社（共同出版社・流通責任出版社）
〒112-0005 東京都文京区水道1-3-30
TEL 03-3868-3275　FAX 03-3868-6588
印刷・製本　株式会社上野印刷所

ISBN978-4-434-33029-2　C0037